LA NOUVELLE ÉCONOMIE

Nuala Beck

LA NOUVELLE ÉCONOMIE

Traduit par
Albert Jordan

Les éditions
TRANSCONTINENTALES inc.
1100, boul. René-Lévesque Ouest
24e étage
Montréal (Québec)
H3B 4X9
Tél. : (514) 392-9000
1 (800) 361-5479

Traduit par :
Albert Jordan

Révision :
Marie Bouchard
Thérèse Le Chevalier

Correction d'épreuves :
Sabine Gauthier

Photographie de la couverture :
Peter Stewart, The Image Bank

Conception graphique de la couverture :
Lucie Chabot

Photocomposition et mise en pages :
Ateliers de typographie Collette inc.

L'édition originale de cet ouvrage a été publiée en anglais sous le titre *Shifting Gears : Thriving in the New Economy* par HarperCollins Publishers Ltd, Toronto.

Dépôt légal – 2e trimestre 1994
Bibliothèque nationale du Québec
Bibliothèque nationale du Canada

ISBN 2-921030-61-6

À Frank,
de qui j'ai eu le bon sens de tomber amoureuse
et que j'ai épousé voici dix-huit ans,
et à mes parents qui m'ont tant donné
– y compris le courage de la remise en question.

Remerciements

La rédaction de ce livre évoqua de beaux souvenirs, et en créa beaucoup de nouveaux, dont notamment le souvenir des longues heures passées avec Brian Milner. Sans le talent exceptionnel de Brian (dont le sens de l'humour est à toute épreuve) cet ouvrage n'aurait jamais vu le jour. Grâce à Brian, le métier d'écrivain m'inspire le plus grand respect. Outre ma reconnaissance, je lui promets formellement de ne plus jamais abuser des propositions subordonnées. Je tiens aussi à remercier son épouse, Sylvie, et la petite Katrina qui ont bien voulu partager avec moi le temps de Brian.

Les premières recherches en vue de cet ouvrage remontent loin à un projet de recherche ayant pour titre « Sunrise Statistics » et que ma société-conseil avait entrepris pour le compte de M. K. Wong & Associates Inc. de Vancouver. Je dois beaucoup à Milt Wong, un grand ami et un guide précieux. Son enthousiasme sans bornes, sa vision et son intégrité sont autant de balises qui m'ont guidée sur les plans personnel et professionnel durant ma carrière.

Je dois aussi remercier Tony Boeckh de la Bank Credit Analyst qui n'a pas craint d'engager pour un premier emploi d'économiste la débutante incroyablement naïve que j'étais. Sa grande intelligence a été pour moi une source d'inspiration. Victor Koloshuk et John Bennett, qui m'ont embauchée chez McLeod Young Weir, m'ont appris que plus je travaillerais dur, plus la chance me sourirait. Je leur suis à tout jamais reconnaissante de leurs conseils et de leur amitié. Je réserve aussi dans mon cœur une place spéciale à Frank Ricciuti, le meilleur directeur de recherche qu'une économiste puisse souhaiter. Son intégrité, sa formidable compétence de gestionnaire, et surtout sa gentillesse restent gravées dans mon souvenir.

Depuis la fondation en 1984 de Nuala Beck & Associates Inc., j'ai appris bien des choses. Sans le dévouement d'une équipe de talent, aucune société-conseil ne connaît le succès ni la renommée. Barbara Jones et Anne-Marie Richter incarnent le dévouement, la loyauté et l'amitié. L'un des grands plaisirs durables de ma vie, c'est de les avoir comme compagnes de travail. Les premières années consacrées à ces recherches sont marquées par la présence de Jay Myers dont l'esprit pénétrant et les innombrables gentillesses garantissent pour toujours le souvenir.

À mesure que la date de tombée approchait, j'ai pu m'émerveiller encore une fois devant les talents d'organisatrice et le don pour la recherche d'Anne-Marie qui a mené à pied d'œuvre sa vaillante équipe – Joe Connolly, Margaret Moores et Derrick Reisky –, dont le travail a consisté à mettre à jour tous les chiffres figurant dans ce livre. Je remercie sincèrement Stan MacLellan, dont la vaste expérience et la sagesse ont beaucoup facilité ma tâche. Merci également à Rosemary Serel pour son habituelle efficacité dans l'accomplissement des mille petites corvées reliées à notre projet.

Catherine Dowling mérite une mention spéciale et chaleureuse non seulement pour sa compétence de recherchiste et de vérificatrice des données, mais aussi pour les efforts inlassables qu'elle a déployés quelques heures à peine avant la naissance de son fils.

Grand merci également à Bruce Little du *Globe and Mail*, qui, à l'été de 1991, a « dévoilé » officiellement dans un article de fond, les recherches menées par notre société sur « La Nouvelle Économie ». Douze mois après, nous recevons encore des appels au sujet de son article.

L'un des premiers appels, d'Iris Skeoch de HarperCollins, restera à jamais gravé dans ma mémoire. Il arrive parfois que les premières impressions sont les meilleures ; la chaleur et le professionnalisme sans pareils d'Iris témoignent parfaitement de la culture d'entreprise de HarperCollins. Je dois signaler aussi la bonne humeur irrépressible et le soutien enthousiaste qu'ont apportés Tom Best, Gary Weigl et Judy Brunsek à mon livre.

Et je remercie enfin mon mari, Frank, qui a fait contre mauvaise fortune bon cœur devant les innombrables repas froids que j'ai été dans l'obligation de lui servir. Je ne saurais jamais exprimer ce que signifient pour moi le soutien, l'encouragement et le sens de la mesure dont il m'a entourée.

Et que dire à ma famille que j'ai négligée – à mes parents et à ma chère tante Frances surtout, qui ont passé des semaines sans même recevoir de moi un coup de fil ? Je leur dédie le chapitre neuf de ce livre pour les remercier de leur bons sens, l'héritage de toute une vie dont ils m'ont fait si largement profiter.

Le dernier chapitre du livre est dédié avec amour à Liam, Chris, Ellen, Carrie, Tim, Lisa et Jamie. Partez, chers amis, pleins d'espoir et d'un bon pied sur la route qui mène vers les cimes, et la chance vous sourira, car l'avenir vous appartient.

Table des matières

Tableaux et graphiques

Introduction

Le siècle tire à sa fin et voilà que le monde recommence à se tourmenter de visions apocalyptiques. Dans la rue, dans lès manchettes, dans les best-sellers sur l'économie, c'est toujours la même rengaine. « L'économie périclite. La récession n'en finira plus. C'est une crise à faire regretter la Dépression des années trente. Des millions de travailleurs ne trouveront jamais plus d'emploi. »

Au lieu des voix prophétiques de la religion nous sommant de nous préparer au jugement dernier, ce sont les économistes, les chroniqueurs et les animateurs de causeries télévisées qui profitent des temps difficiles pour répandre la déprime et le désespoir. Ces hérauts de l'ombre se font toujours entendre pendant les époques de grande transformation, mais les fins de siècle – moments justement où le monde s'attend à de grands bouleversements et en craint les suites – sont depuis toujours le temps privilégié des pronostics lugubres. Mais va-t-on tomber dans la superstition des siècles passés et croire bêtement que l'univers touche à sa fin ? N'y a-t-il pas lieu de constater qu'il se passe quelque chose de nouveau, de bien mieux ?

On n'a qu'à regarder autour de soi pour constater que le monde est en train de changer. Mais comment change-t-il et que signifie ce changement dans la vie de tous les jours, pour ce qui est des décisions que les particuliers, tout comme les entreprises et les différents paliers de gouvernement, doivent prendre au quotidien ?

Ce qui prime dans les manchettes et les informations de fin de soirée, ce sont les mauvaises nouvelles – les perturbations qui sont l'inévitable accompagnement de toute grande transformation de fond – présentées comme si tout provenait de l'incompétence de notre classe politique, de la malchance ou de complots à l'échelle mondiale (la version « économique » des méchants – Japonais – qui – veulent – notre – peau). Mais ce qu'on ne dit pas, c'est que derrière tous les licenciements, derrière toutes les faillites et fermetures d'usine, une nouvelle aurore pointe à l'horizon. De nouveaux secteurs d'activité fort dynamiques sont en train de remplacer les vieilles industries épuisées.

Le problème, c'est que les experts chargés de nous expliquer notre avenir pensent en fonction de critères axés sur l'ancienne économie, ce qui les amène à des prévisions beaucoup trop sombres. La vérité, c'est que tout change et qu'il en a toujours été ainsi. Dans *La Nouvelle Économie*, je me suis donné pour tâche d'indiquer dans quel sens l'économie nord-américaine est en train de se transformer et de dresser une carte routière qui indique clairement les chemins de l'avenir.

Cette tâche, excitante au possible, je l'ai commencée voilà plus de quatre ans en me posant une simple question : quelles entreprises sont en croissance et lesquelles ne le sont pas ? Après avoir examiné en détail des milliers d'industries, par l'intermédiaire de ma société-conseil Nuala Beck & Associates Inc., il est devenu évident que les nombreux secteurs considérés comme les moteurs de l'économie étaient depuis longtemps, et à l'insu de la plupart des observateurs, en pleine perte de vitesse. En revanche, des industries qualifiées de « nouvelles » ou encore « de trop petites pour faire le poids » s'avéraient tout simplement énormes.

Après avoir constaté que ces nouvelles industries étaient devenues les moteurs de la croissance nord-américaine, le défi que l'on devait relever consistait à en mesurer la force et l'influence.

Règle générale, nous sommes tous plus à l'aise dans un monde qui nous est familier. Préoccupés par le quotidien, nous ne nous rendons compte du changement que lorsqu'il est devenu la norme. Les économistes réagissent de la même façon. Malgré toutes leurs compétences prévisionnelles, le passé les intéresse bien davantage. Le changement s'introduit comme un virus dans leurs modèles informatisés si savamment conçus, contredisant leurs hypothèses confortables et leurs analyses élaborées avec tant de soin.

Mais le changement ne tombe pas du ciel comme la foudre. Si l'on sait où regarder, on le voit venir de loin. En tenant compte de cent soixante nouveaux indicateurs économiques, je me suis réjouie de constater que, pour montrer les progrès de la nouvelle économie, point n'est besoin de se livrer à un jeu de devinettes. Au contraire, on peut les calculer avec précision, sur une base périodique et, le plus souvent, mensuelle.

De toute évidence, il fallait se doter de nouveaux indicateurs économiques, mais il était aussi évident que ceux-ci ne suffiraient pas pour mesurer la vigueur de la nouvelle économie. Je voyais que le concept même de la valeur avait changé, et qu'on n'allait pas pouvoir déterminer cette nouvelle valeur d'après les vieux procédés. On a démontré, grâce à vingt-cinq nouveaux ratios financiers, que les analyses comptables et financières n'étaient pas irrémédiablement condamnées mais tout simplement désuètes, et qu'on pouvait déterminer la nouvelle valeur avec une précision étonnante.

Mais le présent ouvrage ne traite pas que de chiffres et de tendances. Il ne s'agit pas non plus d'une thèse savante sur les théories ou sur les rapports de force à l'œuvre dans la nouvelle économie, que l'on rédigera sans doute plus tard. Mon seul but, pour l'instant, est de fournir un guide utile à toute personne soucieuse de se rendre compte des changements qui nous affectent tous, qu'on soit aux commandes d'une grande société ou qu'on se préoccupe de son propre avenir économique.

Depuis que j'ai commencé, il y a dix-huit mois, à faire part de mes recherches, les réactions tant du milieu des affaires que du secteur public ont été très positives. Mais c'est la réponse des gens durement touchés par le changement qui m'a le plus émue. Grâce à eux, j'ai compris que les sciences économiques ne sont pas que théoriques et qu'elles ont des incidences énormes dans le monde réel.

CHAPITRE 1

Le pèlerinage à La Mecque

DES PLANTES MORTES ET UNE BOUCLE D'OREILLE EN OR

Pour tout jeune économiste, c'est le U.S. Departement of Commerce à Washington qui est la source de toute connaissance, et plus particulièrement, le réputé Bureau of Economic Analysis. Les livres de classe fourmillent d'allusions à ce puissant Bureau dont les experts traitent par ordinateur les chiffres recueillis par millions dans tous les coins et recoins de la plus puissante économie du monde, pour ensuite se prononcer sur la santé de celle-ci. Ce Bureau nous apprend que nous entrons en récession ou que, officiellement, nous en sortons ; c'est lui encore qui nous appelle à la prière pour demander des temps meilleurs ou pour rendre grâce une fois le calme revenu. Les Canadiens aussi y prêtent une oreille attentive, car notre bien-être est intimement lié à celui de notre principal partenaire commercial.

J'avais donc la certitude, lorsque j'ai visité il y a quelques années, un certain jour de décembre, le Bureau of Economic Analysis, de faire comme un pèlerinage à La Mecque où j'allais me faire révéler les secrets d'un univers en pleine mutation.

Dans le taxi qui roulait lentement dans la circulation dense de cet après-midi-là, le cœur me battait fort. Lorsque la voiture s'est arrêtée devant un restaurant McDonald, j'ai cru que le chauffeur du taxi se trompait, mais il m'a assuré que non. Le Bureau se trouvait en effet à l'étage au-dessus d'un restaurant de hamburgers dans un quartier dont la belle époque était décidément révolue. J'ai jeté un coup d'œil circulaire dans cette rue minable, me demandant si j'arriverais à atteindre le hall de l'immeuble sans me faire arracher mon sac à main par quelque malandrin. Après avoir réglé le taxi, j'ai pris mon courage à deux mains et me suis précipitée vers le hall.

Du hall, on me fait passer dans les bureaux d'un économiste-cadre, l'une des centaines de personnes chargées de faire l'analyse de l'économie américaine. Debout dans la porte, je contemple une forêt de plantes caoutchouc – lacis lamentable de frondaisons rachitiques et molles – qui empêchait le jour d'entrer dans la pièce. J'ignore toujours si les plantes étaient en deuil à cause de la récession, ou si on avait tout simplement omis de les arroser. Peut-être qu'elles périclitaient déjà quand l'économiste avait emménagé. Disons que ma première impression n'a pas été très favorable.

Je vois encore la vieille chaise branlante où j'ai essayé de m'asseoir. C'était une de ces chaises en bois qui ornaient les bureaux de l'Administration dans les années quarante, et dont les roulettes permettent de se déplacer. Mais on n'aurait pas cherché à se déplacer dans celle-là, à moins de vouloir passer sa vie à rembourser des factures de chiro. La famille Addams eût occupé un bureau, c'eût été immanquablement celui-là.

L'économiste, lui, parlait avec l'accent traînant du Sud, et avait l'air d'être parfaitement à sa place dans ce tableau insolite. Ses cheveux grisonnants dépassaient ses épaules et dans l'oreille gauche il portait une grande boucle d'oreille en or. Sa carte d'identité émise par le Department of Commerce pendillait à une chaîne en or et un chandail à encolure en V enfilé sur une chemise sport achevait son portrait. Je me sentais visiblement tirée à quatre épingles avec mon tailleur Saks de la Cinquième Avenue et mes escarpins bleu marine très à la mode.

Je lui explique que je cherchais à savoir ce que le Bureau avait entrepris aux frontières de la recherche en raison des transformations phénoménales qui se produisaient dans l'économie mondiale. Quels chiffres pourrais-je rapporter à mes clients pour les aider à prendre des décisions intelligentes ?

L'économiste se penche vers l'antique bibliothèque à sa droite. Une plaque accrochée au mur au-dessus proclamait : « Pour planer tel l'aigle, n'agis pas comme une dinde. » Il fouille dans des liasses de rapports et en extrait un dossier volumineux qui portait l'étiquette « Analyse d'entrées/sorties ».

Il était daté de 1978.

– Voilà le tableau, dit-il de sa voix traînante.

– Non, non, non, c'est l'avenir qui m'intéresse, pas le passé.

J'aimerais savoir ce qui se passe aujourd'hui et ce qui, de l'avis du Bureau, pourrait se passer demain.

Il me regarde comme si j'étais une enfant capricieuse et me donne une réponse que je n'oublierai jamais : « Le tableau n'est peut-être pas à jour, Madame, mais les chiffres sont exacts. »

C'est à ce moment-là que j'ai compris que la vieille garde se prélassait dans un autre univers. Toute nostalgie que j'aurais pu ressentir pour les approches traditionnelles de l'économie s'est dissipée à tout jamais.

UN NOUVEAU DÉPART

Imaginez. Vous êtes dans un ascenseur extérieur qui dévale le flanc d'un gratte-ciel, et vous regardez la rue qui s'étale en bas. Les gens et les voitures grandissent à vue d'œil. La circulation bouge sans cesse, personne, mais alors personne, n'est immobile.

Voilà une vraie image du monde, mais ce n'est pas celle que voient la plupart des économistes. Pour ceux-ci, le monde est une trame de théories alambiquées, de modèles informatisés complexes et de formules arithmétiques qu'eux seuls et une poignée de disciples diplômés et révérencieux sont capables de comprendre. Il n'y a absolument pas de place là-dedans pour le changement. À moins d'une stabilité absolue des éléments, les équations ne fonctionnent pas, et les projections sur vingt ans si nettement ordonnées ne sont pas seulement hors de propos, elles sont *franchement erronées*.

En me mettant à chercher comment et pourquoi le monde changeait, j'avais supposé, à tort, que d'autres recherches devaient être en cours ailleurs. Dieu sait, il ne manque pas en Amérique du Nord et à l'étranger d'institutions savantes qui ont pour mission d'être à l'affût de l'évolution de l'économie. Au minimum, me disais-je, il doit y avoir quelqu'un, quelque part, ne serait-ce qu'à titre d'essai purement théorique, qui aurait dégagé le terrain, effectué les premières recherches. Moi, je n'aurais qu'à en transcrire les résultats pour les interpréter à l'intention de mes clients œuvrant dans le monde réel, que ce soit dans les affaires, ou dans le cadre de fonds de retraite ou dans les ministères. Je n'avais aucune envie de réinventer la roue.

Le choc fut d'autant plus grand quand j'ai dû me rendre à l'évidence : La Mecque vers laquelle tendaient tous mes vœux de connaissance n'existait tout simplement pas. Même le Japon, supposément le pays baliseur par excellence des voies de l'avenir, est tout aussi tributaire des anciens chiffres que les autres pays.

Statistiques Canada, réputée mondialement pour être la meilleure agence du genre, ne fait que commencer à se saisir de la question. *Les chercheurs en économie dorment à leur poste pendant que le monde entier se transforme sous leurs yeux.*

Mon pèlerinage à Washington fut une épiphanie. C'est à ce moment-là que je renonçai définitivement à la vieille religion, et que je commençai à élaborer une nouvelle approche qui me permettrait d'expliquer ce qui se passait autour de moi.

RIEN DE NOUVEAU SOUS LE SOLEIL

La prochaine fois qu'il vous arrivera de regarder une émission d'affaires, regardez bien toutes les informations inutiles qui passent à l'écran. Comme on a dit autrefois que le prix de l'or était significatif, les producteurs de télévision se mettent en devoir de nous le fournir, soir après soir, même si les petits écarts quotidiens du prix du métal jaune ne tirent point à conséquence. Ensuite, l'annonceur, avec un large sourire ou, au contraire, le front plissé d'inquiétude, nous informe de la hausse ou de la baisse de l'indice boursier, qui se compose surtout de titres d'entreprises encore axées sur l'ancienne économie.

Une fois par mois, l'annonceur nous éclaire sur la vraie signification pour l'économie d'une baisse de 1 400 mises en chantier résidentielles au mois de janvier, ou d'une hausse de 0,1 % des commandes de machines-outils. Et l'expert va se permettre une orgie de pessimisme si par malheur une usine vient de fermer ses portes ou si deux ou trois compagnies ont déposé leur bilan.

On ne doit guère s'étonner si le tableau ainsi présenté est invariablement d'une morne désolation. C'est à se demander si vraiment ça vaut la peine de se lever le lendemain. Mais en vérité, on apprend très peu de ce ramassis d'informations dont on nous bombarde tous les jours. Presque tout ce qui est débité par les médias relève d'une économie qui n'existe plus. Le cours de l'or et les mises en chantier résidentielles avaient beaucoup d'importance autrefois et peuvent encore, à leur manière, servir d'utiles indicateurs économiques. Mais ce ne sont plus des pièces maîtresses dans l'énigme de l'économie, et les pièces qui le sont, on ne les mesure pas. Les entreprises cotées à la Bourse de New York, de Londres ou de Toronto, par exemple, sont là depuis des dizaines d'années et sont maintenant d'une taille à justifier un volume énorme de transactions. Les entreprises à croissance rapide qui alimentent la nouvelle économie sont soit en mains privées soit à propriété peu partagée.

Les téléspectateurs et les lecteurs de journaux ne sont pas les seuls à être mal informés du véritable état de l'économie. Prenez *Business Week*, la voix respectée du milieu des affaires américain. Cette publication fournit à son vaste lectorat des statistiques économiques qui étaient hautement significatives à l'époque où la plupart d'entre nous apprenions encore nos premières contines. Aujourd'hui, un cadre s'instruirait mieux dans les *Contes de ma Mère l'Oie* que dans les indications fournies par ce magazine dans son indice de la production.

Comment une publication soi-disant branchée pouvait-elle mettre en vedette sur la page couverture Bill Gates de Microsoft, emblème insigne de la nouvelle économie (et – serait-ce une coïncidence ? – l'homme le plus riche de l'Amérique avec des avoirs estimés à 6,4 milliards de dollars), pour ensuite énumérer dans le détail des renseignements aussi futiles que la production de charbon, les chiffres du fret ferroviaire, la quantité de pétrole brut passée par les raffineries et le nombre de camions fabriqués au cours de la dernière tranche de dix jours ? Bill Gates s'y intéresse-t-il, s'en préoccupe-t-il ? Et nous alors ?

Le Department of Commerce des États-Unis s'est finalement résolu en avril 1990 à mettre à jour son relevé de l'actualité économique.

Les bureaucrates nous promettaient une section alléchante de vingt-huit pages pleines de données et de tableaux « largement utilisés dans l'analyse des mouvements cycliques actuels ». La mise à jour a coûté des millions, mais qu'est-ce que le public contribuable reçoit en retour de ses dollars ? Il est consciencieusement informé de la production des broches à coton, des moutons, des agneaux et des textiles. Des semi-conducteurs, de tous les produits le plus crucial pour la nouvelle économie, pas un mot. On dirait que les économistes s'évertuent à mesurer l'économie d'hier alors que celle d'aujourd'hui leur échappe complètement.

POURQUOI LES GOUVERNEMENTS SE TROMPENT

À quel moment les prophètes médiatiques ont-ils commencé à se fourvoyer ? On se souvient de Georges Bernard Shaw, du moins parmi les économistes, pour avoir dit de ceux-ci que, si on les alignait tous de bout en bout, il n'y aurait pas de quoi faire un chemin qui aboutisse à une conclusion. Parfois, ce sont les politiciens tout autant que les médias qui s'entichent de telle ou telle théorie à la mode, qui s'emballent pour toute une école de théoriciens. Et si le Président des États-Unis et le Premier ministre du Canada s'appuient sur des chiffres surannés relatifs à des industries qui ne sont plus centrales à l'économie, il n'est guère surprenant que leur administration en arrive à des conclusions totalement butées pour mettre en œuvre des politiques qu'on dirait stupides.

Voyez ce qui s'est passé il y a soixante-dix ans à l'époque où l'industrie automobile décollait. Les usines qui fabriquaient les voitures étaient en plein essor et n'arrivaient pas à répondre à une demande qu'on aurait dit insatiable. Les ventes au détail montaient en flèche, la construction routière et résidentielle fleurissait, et tout cela grâce à l'arrivée sur la scène industrielle de ce nouveau-venu.

Mais les observateurs de l'économie étaient, il faut le croire, trop déprimés pour s'en apercevoir. N'est-ce pas que leurs indicateurs signalaient une économie en phase terminale de maladie ? La production de lingots de fonte baissait, les bénéfices d'exploitation des chemins de fer stagnaient, les charbonnages succombaient sous les grèves, et le textile plafonnait. Pour ces observateurs encore médusés par de telles statistiques, comment ne pas croire que l'économie était en train de rendre l'âme ? Malheureusement, ils se trompaient de statistique, tout comme leurs descendants aujourd'hui.

À présent, faisons un grand saut d'imagination pour assister dans le Bureau Ovale de la Maison Blanche à une réunion imaginaire convoquée d'urgence vers le milieu de l'année 1992. Le Président Bush a l'air inquiet. Sa ré-élection dépend de l'état de l'économie, et ses conseillers principaux lui disent que la situation est des plus sombres. L'industrie automobile, la force vive des États-Unis, est en grand péril et, selon les paroles immortelles de Charles Wilson, président de General Motors en 1953, ce qui est bon pour GM est forcément bon pour le pays, donc ce qui est mauvais pour GM... On fait également remarquer au Président que la construction résidentielle est à la baisse et que le système bancaire américain est sur le point de s'effondrer. Si un revenant du bon vieux temps est présent à la réunion, il ne manquera pas d'ajouter que la production du lingot de fonte, du charbon et des textiles connaît sa quatre-vingt-cinquième année consécutive de déclin. En voilà une, d'économie en peine !

Mais quelle serait la réaction dans la salle si on démontrait preuves en main que, loin d'être à l'article de la mort, l'économie des États-Unis ressurgissait pour atteindre de nouvelles hauteurs, que la croissance était propulsée par toutes les grandes motrices, et que l'excédent de la balance commerciale en matière de haute technologie enregistrait une augmentation faramineuse ? Pensez donc ! Un regain de confiance du public, une reprise de la consommation, un terme enfin mis aux cris de haro sur le Japon. L'humeur du pays entier serait du tout au tout transformée, avec les suites qu'on imagine pour les chances du président des États-Unis comme pour celles du Premier ministre du Canada.

Les secteurs vraiment importants de l'économie sont venus à bout de la crise. Alors, pourquoi le monde n'est-il pas au courant? Dans les sondages, les partis au pouvoir se font royalement passer à tabac pour cause de mauvaise gestion de l'économie alors que, de toute évidence, ils n'ont aucun intérêt à nous maintenir dans la déprime. Il faut donc s'en prendre, en partie du moins, aux économistes qui ont donné le ton avec leurs prévisions sombres et erronées.

À QUI DONC S'EN PRENDRE ?

Les économistes universitaires ne sont pas vraiment en cause. À mon avis, les facultés sont beaucoup plus au courant de ce qui se passe dans le monde réel qu'il n'y paraît. Je m'étonne un peu d'ailleurs de l'accueil plutôt favorable qu'elles font à mes travaux. Si elles s'en tiennent aux idées anciennes, c'est, semble-t-il, faute de mieux. Qu'une meilleure explication des choses leur soit proposée, elles s'empresseraient, dirait-on, de lui accorder leur attention. En fait, les vrais coupables, ce sont les gens comme moi, économistes dans le monde réel, qui conseillent au quotidien États et entreprises. Ce sont nous les fauteurs de trouble, nous les spécialistes qui gagnons notre vie à rassembler des chiffres sans signification profonde.

Je garde le souvenir très net d'une conversation avec un économiste au service d'une association de fabricants bien plantée dans l'ancienne économie. La plupart des membres de l'association se payaient une orgie de mises à pied et de fermetures d'usine. Beaucoup d'entre eux avaient fait faillite. Mais lui ne démordait pas de ses certitudes. « Ne venez pas, petite madame, me parler de grand virage. Je compte dix mille membres. Ça prouve bien quelque chose, non ? » « En effet, ça prouve que votre association a diminué de plus de 50 % en dix ans et que d'ici la fin du siècle, il vous restera à peine de quoi réunir assez d'équipes pour faire un bon tournoi de bridge. »

Qu'on s'imagine un congrès de fabricants de fouet pour conducteur de boghei tenu au début du siècle. Leur économiste grassement rémunéré (à supposer qu'un tel animal existât à l'époque) doit donner son avis en ce qui concerne la menace posée par ce nouveau genre de voiture sans cheval. « Une petite mode passagère », affirme-t-il. « Rien ne remplacera la voiture hippomobile. » Mais il a passé sa vie professionnelle à suivre les ventes de fouets de conducteur de boghei. Pour lui, comme pour ses employeurs, le fouet est le centre de l'univers, et il trouve inconcevable que les choses puissent en être autrement.

Les économistes d'aujourd'hui ne sont guère différents de notre conseiller mythique d'une époque révolue. Leur premier méfait est d'insister pour que le monde puisse être tenu pour une constante rectiligne, et qu'on puisse contourner la réalité qui, elle, est toute en virages. Comme dans leurs livres de classe (activité secondaire fort rentable pour plusieurs), ils prétendent que la technologie et l'innovation sont des « variables exogènes ». Ce qui, dans leur jargon, signifie que le changement ne compte pour rien dans la grande chaîne de la vie. Pour rien ! Même aujourd'hui, à la fin du vingtième siècle ! Les économistes sont-ils vraiment les derniers à se mettre au parfum ?

Les économistes ont inculqué à tous que le monde est statique. Aucune autre science ne fonctionne de la sorte. Autant enseigner aux étudiants en physique que le soleil tourne autour de la terre, pour ensuite s'étonner de ce que les pauvres n'arrivent pas à comprendre le mouvement des planètes. Et encore moins la loi de la gravité. Ils n'auraient pas de cadre, de contexte, de référence rationnelle qui leur permettrait de s'expliquer pourquoi la pomme leur tombe sur la tête. Ce ne serait qu'un coup mystérieux sur la caboche !

LE DOCTEUR DÉSESPOIR ET LA TERRE PLATE

J'aimerais vous parler de mon dinosaure préféré de l'ère pléistocène de la pensée économique. Le « Docteur Désespoir » aurait affirmé à Christophe Colomb que la Terre est plate, même après le retour de celui-ci sain et sauf du Nouveau Monde. Rien, de l'avis du Docteur, n'a changé depuis l'époque où il était étudiant du troisième cycle, aplati aux pieds des demi-dieux de l'ancienne économie. Le Docteur Désespoir serait sans doute le premier à s'en étonner si on lui disait qu'il s'accroche aux orthodoxies anciennes comme un enfant qui refuserait qu'on lui enlève sa sucette.

Il n'aurait jamais pu être un Nikolaï Kondratiev, brillant économiste russe qui conçut voici soixante-dix ans une explication neuve de l'univers économique, et dut payer cher ses idées géniales puisque celles-ci se heurtaient à l'incontournable thèse communiste qui proclamait la centralisation comme seule méthode correcte pour faire fonctionner une économie. Accusé de « déviationnisme de droite » par les staliniens en 1930, il disparut peu après, triste exemple de l'entêtement des gens au pouvoir qui aiment mieux croire que la Terre est plate que de se lancer dans des virages périlleux.

Malgré toute sa formation et ses fonds de recherche, le Docteur Désespoir n'en fait pas moins preuve d'étroitesse d'esprit en refusant de reconnaître qu'il pourrait bien y avoir une autre façon de considérer l'univers économique. Il se rebiffe contre toute proposition tendant à montrer que l'économie nord-américaine évolue selon des orientations qu'il n'avait pas prévues. Pour lui, le monde est condamné, un point c'est tout. On dirait que certains économistes sont condamnés à errer dans le monde (et dans les salles de cours) avec des pancartes qui clameraient : « Repentez-vous ! La fin du monde est proche. »

ANNÉES DE COURS, ANNÉES DE MISÈRE

Je ne m'en rendais pas compte à l'époque, mais j'avais déjà pris un mauvais penchant bien des années avant le pèlerinage fatidique à La Mecque de Washington. Tous ceux qui ont enduré un cours d'économie en viennent tôt ou tard à se demander quel lien pourrait exister entre la matière enseignée et le monde réel. Moins prompte en cela que la plupart de mes confrères et consœurs, j'ai mis du temps à voir que de lien, il n'y en a point.

Il m'en a coûté des amitiés, à force de persuader des camarades à l'université de suivre un cours d'économie. Après deux ou trois semaines, ils finissaient toujours par croire que j'avais complètement perdu les pédales. « Tu trouves ça rigolo, toi ? Mais c'est rasoir au possible ! » Ils se hâtaient de retourner à des matières plus utiles comme l'ancien français.

Keith Acheson, professeur d'économique à l'Université Carleton, vaut mieux que les autres. Il m'a enseigné tout ce que j'avais besoin de savoir en macro-économique (l'économie en général), mais j'avais beau aimer l'étude de cette matière, force m'était de constater qu'elle manquait de sex-appeal. Je me rappelle notamment un jour gris de novembre, assise dans la classe à lire le manuel. Je me disais qu'il était inconcevable qu'une matière aussi intéressante, excitante, soit présentée d'une manière aussi assommante.

Les professeurs ont dû recevoir une consigne : « Pour qu'elle soit prise au sérieux, l'économique doit endormir au moins 62,5 % de la classe. » Il faudrait être un Grec du temps d'Aristote pour démêler certaines des équations, et qu'est-ce qu'un Grec antique comprend à l'économie moderne, hein ? Dans un de mes cours, le prof (que je ne veux pas nommer, mais que je n'oublierai jamais) avait développé au tableau noir une équation incroyablement complexe, puis, juste avant la fin du cours, s'étant avisé d'une petite erreur de calcul, avait tout gommé. Pendant quarante-cinq minutes, j'avais soigneusement pris des notes et voilà maintenant qu'elles ne servaient plus à rien. Pas surprenant que mes camarades me trouvaient cinglée à tant endurer !

Je me souviens de ma terreur devant le tout premier chapitre du manuel. C'est celui qui prouve magistralement la théorie (il ne s'agit pas d'une *notion* mais bel et bien d'une *théorie* à part entière) de la *rareté*. Cela veut dire que tout est en petite quantité, et qu'à nous, en tant que futurs économistes, incombait la tâche de gérer l'affectation des rares ressources. On vous met bien dans la tête qu'il n'y en aura jamais assez pour tout le monde ; c'est ce qui explique qu'il y ait des économistes tellement vulnérables à la crise de désespoir à la Hamlet !

Cette théorie de la rareté n'a qu'un seul défaut : elle n'est pas applicable au monde réel. Chaque période de grande croissance dans l'histoire n'a rien à voir avec la rareté, mais au contraire, avec l'abondance. Le grand essor économique du dix-neuvième siècle et du début du vingtième est dû à l'acier bon marché largement disponible à des prix toujours plus bas en termes réels. La période suivante de grande croissance économique, celle de l'incroyable expansion d'après-guerre, doit son dynamisme à l'abondance énergétique à faible prix – au pétrole surtout – sans laquelle la production en série n'aurait pu décoller. Il ne s'agit guère là, à mon avis, de rareté.

Dans la nouvelle économie – celle dont la plupart des économistes commencent tout juste à constater la présence –, de vastes quantités de micropuces à des prix toujours plus bas provoquent une nouvelle révolution industrielle.

Voilà qui va à l'encontre de tout ce qu'on nous a jamais enseigné en économique. Le Docteur Désespoir et ses comparses sont peut-être les derniers à le savoir, mais l'économique ne traite absolument pas de la gestion de la rareté. Elle traite précisément du contraire. La société General Motors parle-t-elle de rareté en étalant ses peines ? Jamais. Elle parle de surcapacité, de surconcurrence et de surproduction. Elle a des ennuis, en partie du moins, parce qu'elle a des usines pour construire beaucoup plus de voitures que le public ne veut en acheter.

Comme si le premier chapitre de cette bible de l'économique ne suffisait déjà pas pour déprimer l'étudiant, vient ensuite le deuxième, lecture décourageante si jamais il en fut. Dans celui-ci, on nous rebat les oreilles d'un mantra cher aux économistes : la *loi des rendements décroissants*. Il ne s'agit pas là d'une notion, ni même d'une théorie. Il s'agit d'une loi d'airain qui déclare catégoriquement que vous allez réaliser de moins en moins de bénéfices jusqu'à ce que les facteurs économiques vous enfoncent dans le néant. Et pourtant, dans le monde réel, ce qu'on constate effectivement, c'est la *loi des rendements croissants*, selon laquelle la technologie et l'innovation permettent la hausse constante des bénéfices.

Les économistes qui insistent, néanmoins, pour dire que ces deux facteurs restent extérieurs, donc oiseux, au superbe modèle économétrique de leur conception, n'arriveront jamais à comprendre pourquoi les vieilles lois ne sont plus en vigueur. Ils n'auraient en effet aucune base rationnelle sur quoi fonder une explication de la réussite phénoménale de Microsoft Inc. ou des ordinateurs Dell.

APPRENDRE LES FICELLES

C'est peut-être mon plus beau coup de chance d'avoir décidé de ne pas faire de doctorat. Celui-ci m'aurait sans doute irrémédiablement gâtée. Dans mon tout premier emploi, comme assistante à la recherche à la Bank Credit Analyst, firme montréalaise d'économistes-conseils très réputée, il m'a fallu dix grands jours pour m'apercevoir que j'avais beau me targuer d'être économiste, je ne comprenais strictement rien aux mécanismes réels de l'économie. Grâce à l'aide (et à l'inlassable patience) d'un brillant mentor, j'ai pu me rendre compte qu'il manquait à beaucoup de monde les données économiques qu'il leur fallait pour prendre une décision intelligente.

Prenez, comme exemple, le trésorier typique d'une moyenne ou grosse entreprise. Cette personne doit connaître – de préférence avant qu'il ne soit trop tard – les grandes tendances financières dont pourrait dépendre le sort de son entreprise. Mais voilà son bureau encombré du courrier du jour véhiculant les mêmes renseignements inutiles sur le rendement de l'économie, hausse, baisse, zigzag, et je ne sais quoi encore. À quoi sert-il de savoir l'état de l'économie trois mois auparavant, surtout quand il s'agit d'un monde qui n'est même pas familier ?

Mon emploi suivant était chez un grand courtier en placements. Un jour, je suis allée voir un client que j'ai eu du mal à distinguer, tellement il disparaissait derrière un énorme monceau de rapports de recherche.

« Pour une semaine ça fait beaucoup de rapports », lui dis-je.

« Pour une semaine ! Ça, ce n'est que mon courrier du jour », rectifia le gérant de portefeuille qui, du reste, me faisait clairement entendre qu'il n'avait pas la moindre intention de lire même une petite partie de cette masse indigeste.

Comment aurais-je pu honnêtement accaparer une heure du temps de ce cadre harcelé rien que pour lui dire que mes prévisions étaient supérieures de 0,1 pour cent à celles du reste de mes collègues dans le placement ? Il s'en moquait de mon 0,1 pour cent, et il avait raison, sinon il serait devenu fou. Dès lors, j'ai eu la passion de faire de l'économie une chose utile dans le monde réel. C'est avec un certain émerveillement qu'on voit se former un tout nouveau train de pensée qui ait effectivement de la suite. La pomme m'était tombée sur la tête et avait chassé les brumes que l'économique avait levées dans mon esprit. Je voyais ce que j'avais à faire et pour le faire il m'est venu l'idée des trois cercles que vous allez voir.

CHAPITRE 2

Le troisième cercle

J'assistais un jour à un congrès et, dans la salle surchauffée, ma pensée s'est mise à vagabonder pour se fixer sur tous les changements survenus dans le monde de l'économie et dont personne ne semblait s'apercevoir. Griffonneuse depuis toujours, j'ai pris un crayon pour tracer distraitement des lignes sur mon bloc-notes, ignorant le quatrième conférencier de suite à entonner une litanie assommante comme quoi le destin complice de l'État menait la vie dure à son industrie pendant ces temps difficiles.

Je me suis surprise à dessiner des cercles qui empiétaient les uns sur les autres. Et, du coup, des idées qui ne collaient pas ensemble avec la théorie admise de l'économie se trouvaient à s'enchaîner avec logique.

Si l'ennuyeux congrès avait duré aussi longtemps qu'il y paraissait, j'aurais sans doute tracé des milliers de cercles, remontant jusque dans les temps reculés de l'antiquité où les premières économies ont pris leur essor. L'Égypte, la Perse, la Grèce, Rome surtout, si habile à faire servir aux fins de l'empire un système mondial de commerce et de production, se définissaient selon leur cercle de croissance, selon une progression économique naturelle (quoique motivée à ces époques par des raisons d'ordre religieux, politique ou militaire) offrant des caractéristiques communes. Mais pour fascinante que puisse être une telle excursion dans le passé, il suffit de remonter environ 150 ans pour voir comment nous en sommes arrivés à notre situation contemporaine.

En identifiant trois cercles, chacun représentant un mouvement économique qui a déterminé la période 1850 jusqu'à ce jour, j'ai trouvé la clé qui permet de comprendre le mouvement vers l'avant de notre économie actuelle. Ces cercles, je les dénomme le Cercle M, pour le *traitement des marchandises*, le Cercle F, pour la *fabrication en série*, et le Cercle T, pour la *technologie*. Chaque cercle renferme certains éléments-clés communs ; chacun tient compte des profondes transformations économiques qui sans cela ne s'agencent pas en un tout cohérent ; chacun se trouve être l'extension naturelle du cercle précédent. Des industries spécifiques, voire l'économie de tout un pays, se définissent selon leur place dans les cercles. Une fois cette place repérée, leur avenir – et le nôtre – se prévoit avec une précision remarquable.

Après avoir soumis mes premières rêvasseries à l'épreuve d'une rigoureuse analyse économique, il m'est clairement apparu que la clé de chaque cercle se trouve être un seul élément crucial, dont l'abondance ou le prix régulièrement à la baisse, agit comme levain, ou catalyseur, et permet à l'économie d'atteindre des paliers de croissance jamais vus auparavant. Dans le traitement des marchandises (Cercle M), cet élément fut l'acier à prix modique. À l'époque suivante de la fabrication en série (Cercle F), ce fut l'énergie, notamment le pétrole dont les vastes quantités découvertes au tournant du siècle ont animé le grand essor axé sur la consommation, qui devait déplacer, de la Grande-Bretagne aux États-Unis, le foyer de la puissance économique.

De nos jours, dans le Cercle T (technologie), l'activité économique est axée sur l'abondance d'un produit inconnu il y a trente ans, hors des locaux jalousement gardés de Texas Instruments et de quelques laboratoires de recherche : les semi-conducteurs, ou micropuces, si peu chers et abondants qu'on les fourre partout, comme dans la montre qui vous réveille au bon moment pendant une réunion du conseil. C'est le Japon qui est le chef de file dans ce domaine technologique. Mais l'Amérique n'est pas loin derrière, contrairement à ce que prétend la critique tant domestique qu'étrangère. Là, comme ailleurs, les experts sont d'une ignorance monumentale quand ils ne savent plus comment les choses fonctionnent !

Outre cet élément essentiel, chaque cercle offre d'autres traits caractéristiques :

- Chaque époque a ses *motrices*, une poignée d'industries stratégiques, aux origines typiquement humbles, qui dynamisent toute l'économie. Les motrices rugissantes du Cercle M étaient l'acier, les chemins de fer, les textiles et les charbonnages. À ces premières motrices succèdent celles de l'époque de la fabrication en série : automobiles, construction résidentielle, machines-outils et ventes au détail. Le Cercle T fonce, vous l'avez deviné, en régime turbo avec ordinateurs et semi-conducteurs, télécommunications et instrumentation, industries de la santé et de la médecine.
- Chaque époque compte ses *virtuoses* ; ce sont les entrepreneurs, savants et ingénieurs qui se servent de la technologie existante pour innover et créer de nouveaux procédés et produits.
- Chaque époque se définit par la *technologie* introduite par ces novateurs. Ceux-ci consacrent leur vie à l'innovation, qu'il s'agisse de Henry Ford avec sa robuste Modèle-T, ou de Jack Kilby et ses micropuces. (Ironie du sort, Jack Kilby, savant au service de Texas Instruments et inventeur du

L'évolution économique

AXÉE SUR LES MARCHANDISES

Production de lingots de fonte
Bénéfice d'exploitation des chemins de fer
Production de chambres à air
Production de charbon et de coke
Production de filature
Consommation de coton

AXÉE SUR LA FABRICATION

Production industrielle
Utilisation de la capacité de production
Commandes de machines-outils
Ventes au détail
Mises en chantier résidentielles
Ventes d'automobiles

AXÉE SUR LA TECHNOLOGIE

Production d'ordinateurs
Production de semi-conducteurs
Ventes d'instruments
Balance commerciale en haute technologie
Croissance de l'emploi à forte capacité intellectuelle
Mises en chantier médicales

premier circuit intégré grand comme un bout d'allumette, n'a jamais voulu se passer de sa règle à calcul rendue désuète par la calculatrice électronique qu'il a lui-même inventée en 1971.) Et en innovant, ils préparent le terrain pour une nouvelle croissance explosive.

– Chaque époque produit des *leaders* technologiques, depuis la Grande-Bretagne dans le cercle de traitement des marchandises, les États-Unis et l'Allemagne à l'ère de la fabrication en série, jusqu'au Japon et aux États-Unis aujourd'hui. L'important ici, c'est la puissance financière qui permet de tirer parti des nouvelles technologies.

– Chaque époque élabore ses propres *méthodes de gestion*. Le Cercle M, par exemple, voit la formation des premières sociétés, des consortiums et des fiducies de grande envergure qui ne relèvent en rien des caprices de la faveur royale ou des aléas des vents alizés. C'est à cette époque que naissent les premières grandes fortunes industrielles, richesse bien différente de celle qui repose sur les assises foncières ou mercantiles d'antan.

– Chaque époque a ses *porte-parole*, les gourous qui passent le plus clair de leur temps à formuler des théories au sujet d'une économie qui n'existe plus et qui n'a peut-être jamais existé que dans leur univers idéal.

– Chaque époque comporte une *voie rapide* : des emplois qui ont de l'avenir et qui offrent la possibilité de réaliser ses rêves dans le milieu du travail. Dans le Cercle M, ce sont les cols bleus qui ont connu une prospérité que les générations précédentes n'auraient pu imaginer. Pour la première fois, des travailleurs d'usine pouvaient envisager de réaliser le Rêve américain. Beaucoup d'entre eux ont pu acheter leur maison, se payer des vacances annuelles, un moyen de transport privé et d'autres avantages depuis si longtemps l'apanage des seuls riches.

Aujourd'hui, ce sont les travailleurs de la nouvelle économie qui peuvent légitimement espérer un avenir sans inquiétude. Quel que soit le sort des compagnies ou des particuliers dans l'industrie informatique, il demeure que les travailleurs possédant des compétences inscrites dans le Cercle T sont infiniment mieux placés que ceux qui se font éliminer du domaine en déperdition rapide de l'industrie automobile et d'autres secteurs également surannés. L'ancienneté ne compte pour rien quand l'entreprise coule au fond. Tout le monde se noie, peu importe son poste à bord !

- Chaque époque a son lot de *perdants*. Ce sont les industries autrefois d'importance majeure mais qui se trouvent à présent en déclin irrémédiable. On n'a qu'à demander aux fabricants de rails ou aux producteurs de lingots de fonte.
- Chaque époque voit la création de *nouvelles industries*, dans des secteurs naissants destinés à faire passer le monde dans une nouvelle ère de croissance, mais cherchant encore à s'implanter. Autrefois, ce fut l'industrie automobile. De nos jours, c'est l'ingénierie génétique et l'intelligence artificielle.
- Chaque époque bute sur des *obstacles*, des barrières faciles à repérer et qu'il faut surmonter avant que la transition puisse se réaliser.

La croissance dans le cercle de traitement des marchandises a fait face à une barrière naturelle : l'absence de normes en éducation, en électricité, dans les chemins de fer, et j'en passe. C'est la technologie de la chaîne de montage qui, dans le cercle de la fabrication, a permis de contourner l'obstacle posé par le montage par lots ou à la pièce, tandis qu'un système de transports rapides éliminait l'obstacle majeur à l'accès des marchés et que l'intégration conception-production-marketing permettait d'échapper aux mécanismes bureaucratiques ennemis de la nouveauté. Aujourd'hui, le cercle axé sur la technologie évolue grâce à l'application de l'électronique et de la miniaturisation pour éliminer les contraintes imposées par les aléas des ressources énergétiques et des matériaux. Sans le miracle des circuits intégrés, les ordinateurs seraient beaucoup trop encombrants et trop coûteux pour être utilisés par des gens comme vous et moi.

– Chaque époque enfante un *aménagement du travail* caractérisé qui est fonction des besoins et des objectifs sociaux de cette époque-là, ce qui explique que les transformations sont deux fois plus douloureuses à supporter. Non seulement la nature même du travail se transforme-t-elle, mais aussi les structures sociales qui la soustendent. L'abolition du travail des enfants et le passage d'autres réformes dans le Cercle M (où certaines industries passaient pour des « abattoirs » tant était élevé le taux des accidents mortels parmi les employés, dont certains étaient à peine sevrés de leur mère) représentent, pour l'époque, un mouvement aussi révolutionnaire que l'organisation du travail en chaînes de montage dans le Cercle F, que l'essor subséquent du cadre moyen ou que la formation d'une classe professionnelle.

Ce qui ne marche pas (et qui ne marchera jamais), c'est de vouloir faire servir les vieilles approches et les vieilles structures à la nouvelle économie. Voilà pourquoi certaines compagnies qui ont raté le saut d'un cercle au suivant nous semblent incroyablement incompétentes. Des géants comme General Motors, autrefois le symbole de tout ce qui était la force et la gloire de l'ère de la fabrication en série, on les décrit maintenant en termes très péjoratifs – « stocks gonflés », « fonctionnement à la va-comme-je-te-pousse », « entreprise lente à réagir », « produits bâclés » – enfermés qu'ils sont dans la prison de leur passé.

L'AVENIR, C'EST AUJOURD'HUI

Le passage d'un cercle au suivant peut – et c'est ce qui arrive habituellement – avoir lieu sans qu'on s'en rende compte. Ils sont nombreux ceux qui attendent encore la nouvelle ère de la technologie, persuadés que l'avenir appartient à l'informatique, aux télécommunications et à la robotique. Mais cet avenir-là, il est présent parmi nous depuis une décennie au moins. Déjà nous abordons le prochain cercle de grande croissance, entraînés par les progrès rapides de la biotechnologie. Et nous n'avons pas encore digéré les transformations qui nous ont sortis, au cours des années 70, de l'ère de la fabrication en série.

On se réveille un matin, on titube vers la cuisine pour se préparer une tasse de café et on s'installe pour lire le journal de l'an dernier. Non, ce n'est pas le journal de l'an dernier, mais c'est tout comme, parce que les industries naissantes ont déjà grandi, les statistiques que vous lisez sont périmées depuis longtemps et l'économie a déjà dépassé le stade que décrit votre *Wall Street Journal*, ou votre *Financial Times*.

Rien de bien compliqué à la façon dont les économies évoluent depuis un siècle et demi. Certaines industries se sont mieux débrouillées que d'autres pour emboîter le pas à cette évolution, pour survivre et prospérer. Il ne s'agit pas, pour le constater, d'être un génie, ni même un économiste aguerri ; il s'agit toutefois d'avoir parfois les deux pieds sur terre et de bien regarder le monde réel.

LE CERCLE M : 1850-1918

Au milieu du dix-neuvième siècle, l'activité économique était centrée sur les marchandises, transportées en quantités énormes par les nouveaux bateaux à vapeur et les chemins de fer vers Manchester et Birmingham, et vers d'autres grands centres de l'âge industriel avec leurs grandes usines et hautes cheminées vomissant la fumée. Dans les années 1850, les nouveaux procédés de fabrication et le libre-échange ont inauguré une période de prospérité sans précédent et la Grande-Bretagne trônait sur les hauteurs. Lorsque la reine Victoria et le prince Albert ont présidé la grande foire de commerce international, la Grande Exposition de 1851 dans Hyde Park à Londres, la famille royale et les autres visiteurs ont été étonnés de voir la puissance industrielle qui se dégageait des quelque quatorze mille stands.

« Nous vivons une époque de grande et merveilleuse transition, qui tend rapidement vers l'accomplissement de ce noble destin auquel, en effet, toute l'Histoire nous convie : la réalisation de l'unité de l'humanité entière », proclamait avec grandiloquence le prince Albert. Son optimisme était légitime. Le commerce de marchandises-clés telles que le coton, le fer et l'acier avait atteint un volume inouï. La classe ouvrière n'avait jamais eu la vie aussi belle. Les Britanniques dominaient le monde de la finance et du commerce, la livre sterling était la monnaie la plus forte de la planète.

L'examen des principaux indicateurs économiques de l'époque révèle les mécanismes de cette économie axée sur les marchandises ; on voit aussi à quel point cette économie était bien suivie par les contemporains. De même qu'aujourd'hui les marchés attendent dans le suspense de voir projeté sur leurs écrans le dernier mot sur les ventes au détail ou le nombre de mises en chantier, les observateurs de l'économie d'alors patientaient dans leur petit réduit sombre de bureau à Londres dans l'attente des dernières dépêches porteuses de renseignements vitaux sur le lingot de fonte, le coton, le coke (du charbon traité, pas le stupéfiant !) et les filatures. Le lingot de fonte était particulièrement suivi puisque c'était une composante essentielle de l'acier dont l'abondance à bas prix rendait possible tout le reste. Encore aujourd'hui, le Department of Commerce des États-Unis signale la production de lingot de fonte, tandis que *Business Week*, revue très à jour par ailleurs, rapporte le fret par chemin de fer et la production de charbon, comme si ces choses avaient de l'importance de nos jours. Dans le Cercle M, en effet, elles en avaient.

De même, par le passé, le *Financial Times* et d'autres journaux suivaient de près les activités ferroviaires et maritimes parce que leurs lecteurs devaient savoir à quel moment les cargaisons de coton, d'étain, de caoutchouc, en provenance des colonies, arrivaient à destination. Il y a encore aujourd'hui des journaux qui publient consciencieusement l'horaire des arrivées de cargo, même si cela n'intéresse que les armateurs, les courtiers d'assurance et les parents des membres d'équipage.

Reconnaissons cependant que, pour l'époque en question, ces renseignements fournissaient entre autres des mesures précises de la performance comme des progrès des industries principales – acier, textiles, chemins de fer et charbon – sur lesquelles tournait l'économie entière. Et ils exerçaient sur le public une influence psychologique aussi puissante que de nos jours les mises en chantier ou que les statistiques de ventes d'automobiles. C'est au baromètre vital et opportun des bénéfices d'exploitation des chemins de fer ou de la consommation de coton que les compagnies se fiaient pour prendre des décisions où il y allait de leur survie.

À cette époque-là, on avait le temps de réfléchir bien plus mûrement aux affaires à cause de la durée extraordinaire du cycle économique. Il fallait six mois rien que pour acheminer vers les usines anglaises les matières premières comme le coton. Pas du tout question ici de « production juste-à-temps ». Et si la récolte de coton s'avérait mauvaise, ou si la Guerre de Sécession en Amérique en entravait l'exportation, quel drame pour les filatures de Manchester ! Elles en ressentaient durement le contrecoup en attendant que les approvisionnements reprennent. Ayant atteint les 1,08 milliard de livres en 1860, l'approvisionnement de la Grande-Bretagne a été coupé de près des deux tiers par la Guerre de Sécession. Imaginez donc un fabricant d'ordinateurs qui aurait à essuyer, presque du jour au lendemain, une diminution des deux tiers de sa provision de micropuces !

Économie axée sur le traitement des marchandises

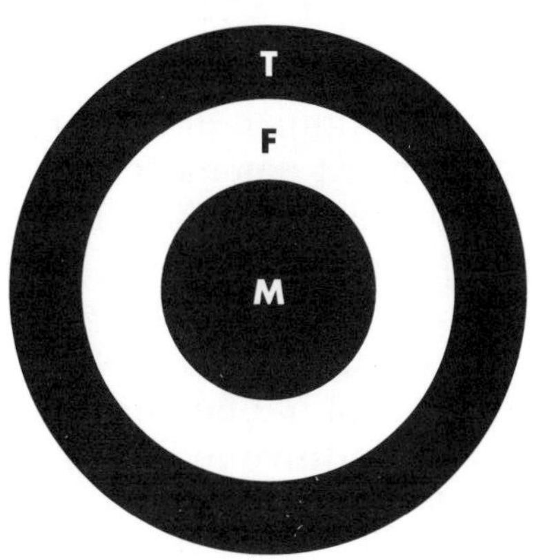

- **ÉPOQUE :** De la révolution industrielle jusqu'à 1918 environ
- **FACTEUR CLÉ :** Acier à bas prix
- **QUATRE MOTRICES :** Textiles, charbon, acier, chemins de fer
- **INFRASTRUCTURE :** Transports ferroviaires et maritimes, télégraphie
- **PRINCIPAUX INDICATEURS ÉCONOMIQUES :**
  Production de lingot de fonte
  Bénéfice d'exploitation des chemins de fer
  Production de chambres à air
  Production de charbon et de coke
  Production de filature
  Consommation de coton

La perception du cycle économique à l'époque ne faisait que refléter ces dures réalités. Un ralentissement de l'économie n'entraînait aucun commentaire à moins qu'il ne persiste depuis dix-neuf mois ! Voilà qui s'appelle un atterrissage dur en effet ! (À titre de comparaison, selon le pifomètre utilisé depuis quelques décennies, six mois de déclin signifient qu'on est en récession !) En fait de crise, il y en eut une qui a duré pas moins de soixante-cinq mois, soit presque cinq ans et demi de baisse continue !

Comme il en fut pour des époques antérieures et postérieures, le traitement des marchandises était appelé à une grande transformation. Les Britanniques ont eu le haut du pavé tant qu'ils sont restés les principaux agents du traitement des matières premières du monde. Mais voilà qu'un beau jour, ils ont été aux prises avec la concurrence étrangère, aussi habile que quiconque à exploiter les filatures et à produire le lingot de fonte. La concurrence a affaibli le monopole des marchés détenu par les premiers joueurs et poussé les prix à la baisse. Les grandes foires commerciales, comme celle de 1851, ont accéléré les transferts de technologie, ce qui ne manquait pas d'amener certains nationalistes de l'époque à se demander s'il était prudent d'étaler au grand jour les secrets de leur production industrielle. On n'a pas manqué d'autre part de faire remarquer que les Britanniques, autant que les Allemands, Américains, Belges et Français, étaient bénéficiaires de telles occasions qui leur permettaient de constater de première main les trouvailles des rivaux.

Cette évolution allait de pair avec de nouvelles technologies qui modifiaient les procédés industriels en même temps qu'elles modifiaient les installations et la construction des usines qui devaient les héberger. Les Britanniques, avec tant d'argent investi dans des équipements et des techniques désormais dépassés, ne pouvaient qu'assister, impuissants, au spectacle des concurrents qui les éclipsaient tant pour les prix que pour la qualité. Tristement, ils voyaient fondre leur immense supériorité commerciale et financière. L'ère du traitement des marchandises tirait à sa fin et les ci-devant champions étaient incapables de relever le défi posé par la nouvelle génération de machines.

LE CERCLE F : 1918-1981

Quand Henry Ford a entamé sa remarquable carrière à Detroit, ville dynamique qui laissait le champ libre à l'épanouissement des talents de novateurs vraiment exceptionnels, le Cercle M commençait sérieusement à se lézarder. Mais, à l'époque, le plus clairvoyant conjoncturiste aurait eu du mal à prévoir ce qui était sur le point de se produire. Les voituriers et fabricants de fouets de boghei réalisaient de plantureux bénéfices dans un marché en pleine croissance, et les quelques voitures circulant sur des chemins de terre poussiéreux n'étaient que des jouets fantastiques pour richards audacieux. Certaines technologies de communication, que de vaillants pionniers mettaient en place vers la fin du dix-neuvième siècle, ne devaient pas sembler moins fantasques aux yeux des seigneurs de la finance et de l'industrie, trop heureux de financer les industries traditionnelles qu'ils connaissaient si bien. Et pourtant, en l'espace de quelques années, Ford et d'autres allaient faire servir les nouvelles technologies à la fabrication de produits de consommation devant amener une formidable transformation économique.

En 1918 déjà, année où la vaste usine de montage de Rivière Rouge à l'ouest de Detroit démarra en trombe, le génie de Ford avait orienté le capitalisme vers une nouvelle voie rapide. Comme les ados surdoués de nos jours qui bricolent des ordinateurs de fortune dans le garage de leurs parents, Ford connut des débuts modestes dans la haute technologie de la fabrication d'automobiles. Comme beaucoup de novateurs aujourd'hui, Ford, créateur obsédé (et passablement excentrique), subit des échecs. Personne n'aurait deviné que l'idée de Ford, visant à mettre la technologie automobile à la portée des masses, allait, à brève échéance, faire de lui l'homme le plus riche d'Amérique, transformer la nature même de l'économie et déclencher le plus grand boom industriel de l'histoire humaine.

Ce technicien bricoleur y parvint en fabriquant un produit ultra-moderne qui parut indispensable à tous, et il s'y prit mieux, pour moins cher et plus vite que ses concurrents. Au fur et à mesure que Ford perfectionnait les techniques de fabrication et qu'il augmentait la production à des niveaux incroyables, les prix de revient accusaient une baisse constante. Il fallait moins de main-d'œuvre pour fabriquer davantage de véhicules qui se vendaient à des prix toujours plus bas. Quand éclata la Première Guerre mondiale, les usines de Ford débitaient près de deux cent cinquante mille véhicules par an, rendement presque égal à celui de toutes les autres compagnies réunies dans cette industrie naissante (quelque trois cents, dont la plupart aujourd'hui ne vivent que dans le souvenir des plus férus de l'histoire de l'automobile). Le prix d'une Modèle T chuta de 950 $ en 1909 à 360 $ en 1917.

Le marché avait beau être inondé de ces voitures, le public en demandait toujours plus. Face à cette demande que lui-même avait créée, Henry Ford se mit en devoir de la satisfaire en construisant la gigantesque usine de Rivière Rouge, une des merveilles de l'industrie de l'époque. Ford, avec son dynamisme, sa vision et sa maîtrise des technologies dernier cri, a joué un rôle primordial dans la création de ce que j'appelle le Cercle F (fabrication en série) de la croissance, deuxième grand essor après la révolution industrielle.

Pendant la longue période de déclin, ceux qui avaient misé des sommes modiques sur les nouvelles industries récupéraient leur mise au centuple et davantage. Lorsque Ford racheta en 1919 la participation des actionnaires minoritaires, une institutrice qui avait misé 100 $ sur cette entreprise risquée en 1903 a touché 260 000 $, outre les 95 000 $ déjà reçus en dividendes.

Le même phénomène, à peine remarqué, se reproduit de nos jours. Il ne s'agit pas d'un hasard si – tout comme Henry Ford, emblème de la nouvelle économie

Économie axée sur la fabrication en série

- **ÉPOQUE :** 1918 jusque vers 1981
- **FACTEUR CLÉ :** sources énergétiques bon marché, pétrole surtout
- **QUATRE MOTRICES :** Autos, machines-outils, immobilier résidentiel, ventes au détail
- **INFRASTRUCTURE :** Routes, aéroports, téléphones
- **PRINCIPAUX INDICATEURS ÉCONOMIQUES :**
  Production industrielle
  Utilisation des capacités
  Commandes de machines-outils
  Ventes au détail
  Mises en chantier résidentielles
  Ventes d'automobiles

aux alentours de 1919, devait devenir l'homme le plus riche d'Amérique – c'est aujourd'hui le tour de Bill Gates, 36 ans et fondateur de Microsoft Inc., de personnifier le Cercle T actuel.

La compagnie de Ford pourrait elle-même n'être bientôt qu'une entreprise de marketing et de finance, car elle sous-traite la fabrication des voitures à des firmes au Japon et ailleurs qui font mieux, pour moins cher et plus vite. Ce genre de déplacement est inévitable. Déjà, dans les années 1890, la Grande-Bretagne était en perte de vitesse pendant que des industries de haute technologie prenaient racine dans le sol fertile de l'Amérique. Le consommateur allait bientôt devenir roi et les entreprises américaines étaient bien placées pour profiter de l'immense déplacement des marchés. C'était l'ère de la production en masse qui naissait pour répondre à l'énorme demande. Il est vrai qu'un appétit vorace de consommation existait depuis toujours, mais des fabricants novateurs et une source apparemment inépuisable de carburant peu cher se combinaient à présent pour créer les conditions dans lesquelles cet appétit pouvait trouver satisfaction. La satisfaction de ce nouvel appétit menait à de nouveaux besoins que personne n'avait prévus, et qui mieux que les Américains était placé pour les assouvir ?

Bref, les États-Unis prenaient vite la relève des économies européennes d'abord esquintées puis écrasées par la guerre. Les Américains en sont venus à dominer le commerce mondial et le dollar, par conséquent, a remplacé la livre sterling comme principale monnaie.

Le traitement des marchandises n'a pas cessé pour autant. Les chemins de fer fonctionnent toujours, mais ils ne passent pas aussi souvent et leur rentabilité a baissé d'une coche. Le coton se cultive toujours et on achète encore chemises et draps en coton, quoique ceux-ci soient plus souvent importés d'un pays du Tiers-Monde aux coûts moins élevés, comme l'Île Maurice ou les Philippines, que de l'un des grands pays industrialisés. La provenance nous importe peu d'ailleurs, car ces vieilles industries n'alimentent rien d'autres qu'elles-mêmes.

Les industriels intelligents s'empressent de s'adapter dès lors que leurs marchés menacent de disparaître. Les voituriers ont connu un regain de vie en fabriquant des châssis pour l'industrie de l'automobile, et celle-ci, perçue au début comme petite activité secondaire, les a sauvés de l'extinction. Les producteurs de lingots de fonte et leurs semblables ont aussi inventé une nouvelle technologie et de nouveaux produits (des alliages) pour s'adapter à une demande en cours de transformation. Le marché des marchandises n'a pas diminué. Au contraire, il est devenu encore plus grand. Detroit, après tout, engloutissait le métal et le caoutchouc en quantités infiniment plus grandes que celles dont Manchester avait jamais eu besoin. Les fournisseurs de matières premières, comme le charbon, ont prospéré en réorientant leur production vers de nouveaux débouchés. Les vieilles entreprises qui n'avaient pas assoupli leur conduite des affaires ont, comme de raison, disparu sans laisser de trace.

Les fabricants en série se sont emparés des commandes de l'économie avec les automobiles, grâce d'abord au génie de Henry Ford, et ensuite à partir des années vingt, grâce à la direction donnée par la puissante General Motors, ce colosse qui devait être l'étalon d'après lequel on mesurait toutes les entreprises de fabrication du monde entier. Il ne s'agit pas d'un hasard si le déclin constant de General Motors coïncide avec celui du Cercle F, à commencer par les premières majorations féroces du prix du pétrole des années 70 et par l'essor d'une concurrence étrangère plus habile (japonaise) à faire un produit de meilleure qualité à des prix plus bas.

VIVRE LES TEMPS DIFFICILES

Les manchettes le proclament, le passage d'un cercle au suivant s'accompagne toujours de confusion et de temps difficiles dans l'ancienne économie. Par le passé, le changement de palier entraînait des crises profondes, en partie parce que les nouvelles industries ne s'étaient pas encore suffisamment imposées pour compenser le déclin rapide de l'ancienne économie.

Les cycles économiques se sont raccourcis de façon spectaculaire à l'ère de la fabrication en série. Les récessions se succédaient plus rapidement et plus durement que jamais auparavant, laissant perplexes les économistes à la recherche des chiffres qui permettraient d'expliquer ce qui se passait. Les règles habituelles ne semblaient plus de mise, mais personne ne savait pourquoi. On avait beau chercher, on ne trouvait pas de solution à partir des statistiques, de celles justement qui avaient toujours permis de voir clair !

À mesure que de nouvelles industries poussaient comme des champignons, il devenait urgent d'en mesurer l'incidence sur l'économie. Les statistiques fournies par le lingot de fonte et les textiles ne révélaient rien quant à la signification des industries naissantes comme l'automobile, l'immobilier résidentiel, les machines-outils ou l'aéronautique, dont il n'avait même pas été question quelques années auparavant.

Imaginez l'échange suivant entre deux économistes de l'époque, penchés sur leurs chiffres, cherchant à découvrir les secrets de la nouvelle conjoncture économique, disons pendant les années 1920, alors que les chiffres n'ont plus aucun sens.

Premier expert : « Mince, les choses se gâtent, c'est garanti. Le lingot de fonte est en chute libre depuis douze ans. Le coton ne se porte pas mieux et les chemins de fer, on ne les a pas vus si mal en point depuis le grand krach de 1893. Mais si on regarde les chiffres, nous ne sommes pas en récession ! »

Deuxième expert : « Je vois ce que tu veux dire. J'attends toujours les dix-neuf mois de déclin économique absolu, mais on dirait que les choses vont mieux. Et tout le monde arbore un large sourire. Jamais je n'ai vu tant de gens avec tant d'argent à dépenser. Mais une chose est sûre, ils n'achètent pas de lingot de fonte. Dis, après le travail, tu ne pourrais pas me ramener chez moi dans ta nouvelle Ford ? »

Même au plus fort de la Dépression, les économistes ne pouvaient sonner l'alerte en criant : « Voilà, la récession a commencé. On vous l'avait bien dit. » (C'est ainsi que parleraient les économistes alphabétisés, les autres y seraient allés d'un « Nom de *$%& ! ! Ça veut dire quoi, que je suis mis à la porte ? »). Car à aucun moment de l'ère de la fabrication en série, la conjoncture n'a répondu aux critères anciens qui signalaient la cote de misère. En réalité, le krach de 1929 était, selon ces critères, plutôt court et bénin, un léger recul en fait de récession.

LES FRISSONS DE L'ÉPOUVANTE

Comme ces économistes paumés, on est tous irrémédiablement friands de mauvaises nouvelles. Prenez ce que j'appelle les livres genre Grande Peur, tel que *Surviving the Great Depression of 1990* de Ravi Batra. Ou bien le dernier-né de cette ignoble lignée d'épouvantails à faire trembler le monde ordinaire : *The Great Reckoming* par James Dale Davidson et William Rees-Mogg. Ces tristes tomes qui sortent à un rythme monotone menacent sérieusement la psyché. Si on les prenait à cœur, on serait tous dans le désert à se blottir dans des bunkers en béton et à se nourrir de légumes secs.

Les cinéphiles adorent les films d'épouvante, mais quand on a fini de croquer le pop-corn, que Freddie (le Balafreur) Krueger quitte l'écran et que les lustres de la salle se rallument, il faudrait être fou à lier pour croire qu'on vit réellement le cauchemar de la rue de l'Orme. Et, en ce qui me concerne, la seule différence entre Freddie et les théoriciens du malheur, c'est que Freddie est bien plus divertissant.

À lire un de ces livres maudits qui évoquent « la fin de la vie telle que nous la connaissons », on est comme persuadé que les monstres vont sauter de la page pour nous détruire l'existence. Je le sais, et pour cause, puisque moi-même, jeune économiste, je me suis laissée terroriser par un de ces semeurs de panique.

Le premier livre genre Grande Peur que j'aie lu, en 1975, avait failli me convaincre qu'il fallait emmagasiner tout l'or sur lequel je pouvais mettre la main, le fourrer dans un compte de banque suisse et bourrer mon grenier de pois secs. Si j'y avais prêté foi, je serais sans doute encore à manger des pois secs et à ne plus savoir quoi faire avec une grande quantité d'or – amassé à 900 $ l'once – dont le prix serait constamment à la baisse.

La raison pour laquelle on se laisse berner par ces marchands de malheur, c'est qu'on les estime plus calés que nous autres mortels pour toute question relative à l'avenir. Pourquoi irait-on acheter une histoire d'épouvante qui se donne pour la vérité ? C'est que les auteurs de ces fades bouquins prêchent comme les télé-évangélistes forts en gueule : « Croyez-moi, car j'ai vu la lumière ! Et je suis un expert. »

Ma première peur, je l'ai connue en août 1974 dès mon entrée en poste à la Bank Credit Analyst. La Banque Herstatt en Allemagne venait de s'effondrer. Cela devait être la foudre qui signalerait la fin de tout le système international de la finance tel que nous l'avions connu et aimé jusqu'alors, la foudre que tant de monde attendait. Pourtant nous voilà, dix-huit années après, et je ne sais même plus pourquoi cette banque allemande a fondu dans la nature.

Les seuls à s'en trouver touchés ont été les pessimistes, et ceux qui se trouvaient mal pris avec un contrat de change. Mon premier livre Grande Peur y est même allé d'une liste de provisions à stocker contre le krach imminent. Notre rêve de nouveaux mariés était d'être un jour propriétaires d'une maison et, si nos carrières démarraient pour de bon, d'avoir une piscine dans la cour assez loin du pommier pour que les feuilles mortes n'y tombent pas. Au lieu de quoi, on se faisait dire qu'il vaudrait mieux s'acheter une ferme de survie pour se soustraire au raz-de-marée de violence qui allait déferler sur la ville à la suite du séisme social provoqué par la privation des masses. Et ce qui m'effraie dans cette histoire, c'est que j'étais en passe de la prendre vraiment au sérieux.

Eh bien, comme vous le savez, le monde continue. Les gens font toujours la queue pour Disneyland. Les amoureux s'envoient toujours des fleurs, des cartes et du chocolat le jour de la Saint-Valentin. Et les semeurs d'effroi se remettent à faire de la science-fiction déguisée en vérité, tout en encaissant les droits d'auteur sur leurs histoires d'épouvante tellement rentables.

Enfin, passe pour l'atteinte qu'ils portent à notre quiétude, le pis c'est que les livres Grande Peur et leur notoriété parviennent à détourner une partie de l'énergie, de la créativité, du dynamisme qu'on pourrait et qu'on devrait consacrer à des lendemains meilleurs. Et si Bill Gates avait passé ses plus belles années à stocker de la nourriture déshydratée en attendant la fin du monde? Jamais il n'aurait eu l'audace de partir à zéro pour monter une entreprise géante qui emploie des milliers de gens. Tous ces livres devraient comporter un avis liminaire au lecteur: « Attention! Pour fins de divertissement seulement. À ne pas prendre au sérieux. Prière de ne pas se jeter du haut d'un pont. »

Un de mes amis, spécialiste dans les placements à revenu fixe – je vais l'appeler Sam –, a passé la meilleure partie de sa vie professionnelle à se préparer contre la crise à venir. Il habite une maison qui n'est pas à lui, parce qu'il est persuadé que l'immobilier sera anéanti au moment du krach. Un jour qu'on déjeunait ensemble, je lui ai expliqué comment les crises avaient changé de caractère et qu'on était déjà, dans les années 1980, passé à travers les décombres de l'ancienne économie. Je lui disais que la nouvelle économie s'était déjà implantée et que, me servant du jargon de Sam, la longue ascension de la prochaine courbe était déjà amorcée.

Sam fixe longuement sa tasse de café sans dire un mot. Sortant enfin de son mutisme, il me dit d'une voix douce mais résolue: « Tu ne me feras pas changer d'avis. C'est de ma religion à moi qu'il s'agit. »

J'ai pris mon verre de vin blanc en réfléchissant sur la vérité du vieil adage : on peut beaucoup changer dans cette vie, mais inutile de vouloir changer les préférences politiques ou religieuses de l'autre.

Alors, si vous approuvez chez Sam cette idéologie de la peur, ne lisez pas ce qui suit. Car ce que je vais dire me ferait inculper d'hérésie et envoyer au bûcher par les fanatiques du désespoir.

LA CRISE NOUVELLE VAGUE

Dans la Bible de l'économie moderne se trouve l'Évangile selon Saint-Kondratiev. Nikolaï Dimitrievitch Kondratiev, dont j'ai déjà mentionné le nom en évoquant les dangers qu'entraîne la libre pensée, était un brillant économiste russe qui, au début des années vingt, avait identifié des cycles répétitifs de prospérité et de crise, et estimé à cinquante-quatre ans la durée moyenne d'un cycle long entre chacun des véritables creux. La crise de 1874 était presque à l'heure, ayant eu lieu cinquante-cinq ans après l'effondrement de 1819. Donc, dès 1874, la théorie de Kondratiev aurait permis de prévoir que 1928 ou 1929 promettait une conjoncture des plus mauvaises.

Dans l'*Encyclopédie de l'économique* (McGraw-Hill, 1982), je lis au sujet de la Dépression de 1929 : « Parmi les facteurs entravant l'action des gouvernements pendant les premières années de la Dépression, on relève notamment l'absence de conseils utiles de la part des économistes. Les doctrines économiques de 1929 stipulaient que les marchés s'auto-corrigeaient, mais comme la crise persistait sans aucun signe de reprise, les économistes ont commencé à s'interroger sur leurs théories. »

On remarquera qu'ils ne faisaient que se poser des questions. Le monde dégringolait à vue d'œil et les experts commençaient à s'interroger seulement.

L'encyclopédie continue, sur une note humoristique pas du tout voulue, en signalant qu'en 1939 – dix années de misère plus tard – « un nombre grandissant d'économistes américains... épousaient une nouvelle approche de la politique économique. » Pas tous, pas même forcément une majorité d'entre eux. Seulement « un nombre grandissant », et la plupart de ceux-là travaillaient au sein de l'Administration Roosevelt, c'est-à-dire ceux précisément dont la tâche était justement de trouver le moyen de sortir du pétrin. Qu'on veuille me pardonner ce ton outré, cela m'arrive chaque fois que je me rends compte à quel point cette triste science est triste en effet.

Les gouvernements sont intervenus dans les années trente en s'inspirant du modèle élaboré par le brillant économiste anglais John Maynard Keynes, ce qui fournit le filet de sécurité destiné non pas à transformer la réalité de la crise en cours, mais à prévoir l'évolution future de crises semblables. Comme les crises peuvent évoluer chacune à sa manière, les auteurs de livres Grande Peur ne manquent pas de clients. Il y a toujours des gens qui attendent l'arrivée d'une crise alors que celle-ci tire déjà à sa fin.

Mais retournons à l'avenir selon Kondratiev. L'année 1983 aurait dû être néfaste. Et, à vrai dire, Nikolaï le Grand avait visé juste à toutes fins utiles. Car l'industrie minière chuta au milieu des années 1980, tandis que le marché pétrolier ne s'effondra que vers la fin de la décennie. Chaque vieille industrie plafonna à son tour pour ensuite tomber dans une dépression caractérisée. Kondratiev n'avait jamais coulé dans le béton sa théorie des cycles économiques. Ce sont ses disciples qui ont supposé tout bonnement qu'une crise devait précipiter tout le monde en même temps dans le gouffre.

Imaginez que Moïse soit descendu de la montagne et que les gens aient dit : « Pas possible que ce soit Moïse. Il devait être habillé de blanc et ce type-là est habillé de bleu. Dans le livre, c'est bien écrit blanc ! » Parabole pour les années 80. La crise est arrivée et partie, mais tout le monde attend encore la grande catastrophe ponctuelle sans s'apercevoir de ce qui s'est passé dans la réalité, soit *une multiplicité d'événements reliés entre eux.*

Des décombres de cette crise nouvelle vague s'est levée une économie flambant neuve, et selon le calendrier prévu par le vieux Russe. L'ancienne économie plafonna en 1981-1982 et on est ensuite entré dans la grande phase suivante de croissance.

LE CERCLE T : 1981-

Les économistes, encore une fois, n'ont pas su en reconnaître les signes. Un nouveau cercle de croissance axé sur la technologie supplante le cercle vieillissant de la fabrication en série, et on dirait que cette transformation passe inaperçue. Les statistiques autrefois si éloquentes au sujet de la santé de l'économie du Cercle F font encore l'objet d'une révérence qu'elles ne méritent plus. De nos jours, aucun économiste qui se respecte ne prétendrait que le rendement du lingot de fonte ait à nous apprendre quoi que ce soit, sinon que ces vaillants producteurs vaquent toujours à leur besogne. Pourtant, on tient toujours à nous dire que l'immobilier résidentiel, qui ne représente au plus que 3,5 % de l'économie américaine, demeure aussi important qu'il l'était en 1950, où il représentait 7,2 % de l'ensemble de l'activité économique.

Voilà pourquoi les experts ont tant de mal à nous expliquer la conjoncture actuelle. Ils radotent sur la sévérité du ralentissement économique en cours, sur la crise qui sévit dans l'industrie, sur la montée du chômage, sur la faiblesse de la monnaie. Mais ces radotages sont inspirés par des chiffres qui datent d'hier ou sont le reflet de l'orgie de fusions à coups d'endettement que l'Amérique s'est payée dans les années 80.

Or les statistiques se font cuire à toutes les sauces pour produire le résultat qu'on veut. Mais on a beau les cuisiner, depuis dix ans les chiffres indiquent clairement la naissance sans tambour ni trompette d'une nouvelle économie, dominant le troisième Cercle et axée avant tout sur la technologie, l'informatique et l'innovation. Bien que les statistiques en général n'en disent rien, cette nouvelle économie est en plein essor et loin de plafonner.

Économie axée sur la technologie

- **ÉPOQUE :** 1981 – ????
- **FACTEUR CLÉ :** micropuces à prix abordable
- **QUATRE MOTRICES :** Ordinateurs et semi-conducteurs, santé et services médicaux, communications et téléphonie, instrumentation
- **INFRASTRUCTURE :** Satellites de télécommunications, fibres optiques, réseaux informatiques, fréquences radio
- **PRINCIPAUX INDICATEURS ÉCONOMIQUES :**
  Production d'ordinateurs
  Production d'éléments électroniques
  Ventes d'instruments
  Balance commerciale en haute technologie
  Croissance de l'emploi axé sur les connaissances intellectuelles
  Mises en chantier : immobilier médical

POINT DE ROSE SANS ÉPINE

Je vous entends déjà : « Et tous ces licenciements alors ? Toutes ces fermetures d'usine qui font tant de mal ? Les prix des maisons qui s'effondrent ? Les faillites à ne plus les compter ? Et les litanies lugubres dont les conjoncturistes nous rabattent si joyeusement les oreilles, nous apeurant au point que c'est à se demander s'il nous reste un avenir à prévoir ? »

Oui, sans doute, c'est bien vrai, mais je déclare sans équivoque que si on œuvre dans le troisième Cercle, les chances de survie, de prospérité et de promotion sont infiniment meilleures que si on est coincé dans l'ancienne économie.

On me demande souvent comment telles ou telles industries particulières – voire tels pays – rentrent dans tel Cercle. Je réponds que certaines industries – comme certains pays – s'adaptent mieux que d'autres. Les télécommunications, domaine où le Canada excelle, sont depuis toujours à l'avant-garde, utilisant des techniques neuves pour effectuer le saut au cercle suivant. Parmi ceux qui profitaient volontiers au milieu du dix-neuvième siècle de la nouvelle télégraphie sans fil, personne ne se doutait de voir supplanter celle-ci, d'abord par le téléphone, ensuite, dans le Cercle T, par le miracle de la communication par satellite, de la technologie cellulaire et par la transmission des données électroniques grâce aux fibres optiques et à la technologie du laser.

La prise de relève suppose toujours de l'incertitude et de l'angoisse. Ce qui distingue la relève actuelle, c'est l'absence d'un cataclysme tel qu'une guerre mondiale, qu'une crise pleine grandeur, ou que la chute d'un astéroïde. Le passage au Cercle T, loin de se faire en catastrophe, se fait plutôt au ralenti. Ce passage a commencé dès le premier choc pétrolier des années 70, lorsqu'a quadruplé le prix de cet élément-clé de l'expansion remarquable de l'ensemble du Cercle de fabrication en série. Battues en brèche par la hausse phénoménale du prix de leur élément de base, ainsi que par une concurrence sans précédent, créée par le prosélytisme fervent des Américains qui avaient divulgué au monde entier les secrets de la fabrication en série, de nombreuses entreprises ont été acculées au bord du gouffre et elles y sont tombées en effet.

À part quelques cas notoires résultant d'une incompétence sublime ou des retombées évidentes de l'énorme endettement accumulé pendant la folie des fusions, les problèmes de la transition demeurent en grande partie ceux de l'ancienne économie, des secteurs précisément qui étaient en tête de peloton pendant la phase de la fabrication en série, mais qui ne sont plus les puissants moteurs qu'ils étaient.

Il est vrai que certaines entreprises résolument gagnées à la nouvelle économie ont néanmoins coulé à pic, vrai également que d'autres vont les suivre. Les innovations les plus brillantes n'auront jamais raison de la mauvaise gestion, de la mauvaise qualité des produits, d'un marketing inepte ou d'un financement mal engagé. Et qui saurait se garantir de la perte du génie de laboratoire qui décide un beau jour de décamper avec le bien le plus précieux de l'entreprise : son cerveau ? Et sans compter une bonne dizaine de facteurs qui en tout temps peuvent anéantir une entreprise. Toujours est-il que de tels accidents de parcours n'arrivent pas à la suite d'un mauvais positionnement, ou parce qu'on aura fait le saut dans les secteurs à haute croissance. Et si vous travaillez dans un de ces secteurs, vous avez plus de chances de continuer à toucher votre chèque de paie que ceux qui peinent dans l'ancienne économie, quelles que soient la protection syndicale et l'ancienneté dont puissent jouir ces derniers.

Certains pays n'ont pas encore fait le saut dans l'ère technologique et, contrairement au Canada, ils n'y parviendront peut-être jamais. Mais ils n'en sont pas moins capables de prospérer en répondant aux besoins du nouveau cercle, tout comme le Canada a répondu aux besoins du Cercle F et se trouve aujourd'hui encore en passe de devenir un intervenant-clé du Cercle T.

Les pays peuvent se montrer aussi pervers que les industries quand il s'agit de s'ajuster aux réalités économiques nouvelles, mais en dépit d'une abondance de preuves du contraire exhibées par des politiciens de tout acabit, le Canada n'a pas l'habitude de la bêtise. Cela vous aiderait-il à secouer cette humeur de pessimisme chronique de savoir que les marges bénéficiaires au Canada sont en général presque le double de celles des États-Unis et que nous sommes beaucoup moins ignorants que nos éditorialistes persistent à nous le faire croire ?

Jamais nous n'aurions pu triompher dans le monde de la fabrication en série, mais pourquoi devrait-il en être question ? Le Canada s'est bien mieux sorti d'affaire en approvisionnant les Américains qu'en leur tenant tête. Et c'est certain qu'on est mieux avisé en approvisionnant les Japonais qu'en butant contre un mur de céramique. Bien fou celui qui voudrait abandonner le commerce si rentable des marchandises pour se mettre à la fabrication dans une arène où la concurrence est féroce et les gains beaucoup moindres. C'est ce que nous avons compris, nous autres Canadiens ; nous avons exploité la bonne marchandise et nous nous sommes fortement enrichis. Bien sûr, Canadiens que nous sommes, au lieu de nous féliciter de ce choix intelligent, nous en faisons une raison de battre notre coulpe et de nous lamenter qu'on soit encore fendeurs de bois et porteurs d'eau au service de toute la communauté.

Fait étonnant, plus de 70 % des Canadiens œuvrent déjà dans la nouvelle économie, ce qui montre à quel point le pays est en train de s'ajuster.

Être fournisseur de matières nécessaires, c'est très rentable et, à l'insu de bien des Canadiens, leur pays est en voie de devenir le fournisseur principal de nombreuses matières exigées par une économie axée sur la technologie. La vue tellement bornée par une perspective pessimiste, nous ne nous rendons pas compte de notre chance incroyable, ni de notre talent. Ce n'est un secret pour personne que le nickel est le métal par excellence de la nouvelle économie, que le cuivre est une étoile montante, et que le Canada, par hasard, se trouve être l'un des plus grands producteurs mondiaux de ces deux métaux.

Dans leur rôle hors pair de fendeurs de bois, de porteurs d'eau et d'extracteurs de métal, les Canadiens sont exceptionnellement bien placés, ayant d'abord pourvu aux centres de traitement des marchandises de la mère Grande-Bretagne, ensuite à l'immense secteur de fabrication de notre voisin géant au Sud. En contrepartie, le Canada connaît depuis des décennies l'un des plus impressionnants taux de croissance économique du monde. Si en ce moment la performance ne semble pas répondre en tous points à la promesse, c'est que nous sommes en pleine réorientation. On fonce toujours autant, mais en se dégageant de l'ancienne économie, on éprouve forcément de la turbulence. Pour ceux à qui ce virage donne le vertige, le défi est de taille ! Le seul conseil à donner dans ces conditions-là : accrochez-vous, on monte encore !

CHAPITRE 3

Ça change

LES RETROUVAILLES DE JEAN ET JACQUES

Jacques avait anticipé avec plaisir les retrouvailles des anciens du collège. Enfin il aurait la chance de renouer avec de vieux amis, et surtout avec Jean, son camarade de promotion et coéquipier préféré de la formation de football de leur petite ville natale. Jacques ne l'avait pas revu depuis des années et voulait savoir où il en était dans sa carrière.

Jean arriva en effet, mais sans enthousiasme. Ceux qui se prennent pour des ratés ne s'empressent pas en général de paraître dans de telles réunions, surtout quand ils y trouvent le souvenir de leur belle ambition d'autrefois. Jean se trouvait justement dans ce cas. Il se voyait comme un triste raté qui n'avait pas réussi à réaliser les grands objectifs qu'avec tant de confiance en lui-même il s'était donnés à la fin de ses études. C'était à cause de sa femme, désireuse de revoir ses anciennes amies, qu'il avait à contrecœur accepté de se montrer.

Quand Jacques retrouva finalement Jean dans le gymnase, il fut sidéré en apprenant les déboires que celui-ci avait dû essuyer. Le Jean qu'il avait connu si exubérant et dont le sourire aimable masquait la volonté de réussir, le voilà à présent un homme dans la cinquantaine, presque un inconnu qui faisait bien plus vieux que son âge.

Jean avait perdu plusieurs emplois, l'un après l'autre, ce qui avait anéanti sa confiance et chassé ses rêves de réussite. Il n'avait plus le sourire prompt et il parlait à voix si basse que Jacques devait se pencher pour entendre ce qu'il disait. On aurait dit que toute son énergie s'était dissipée. Cette nuit-là, en écoutant la triste histoire de son ami, Jacques changea définitivement d'avis sur le pourquoi de la réussite des uns et de l'échec les autres.

Jean et Jacques étaient partis à l'assaut de la vie avec une énergie, un enthousiasme et un empressement sans bornes. Jean suivit une formation technique après le collège et trouva du travail comme dessinateur chez un fabricant de machines-outils. Jacques débuta comme technicien de contrôle de la qualité dans une petite entreprise qui fabriquait des instruments médicaux. Il touchait un salaire moins élevé que celui de Jean mais, par contre, il appréciait l'absence de hiérarchie, sa grande autonomie, et la participation aux bénéfices qui pourrait s'avérer avantageuse un jour. Jacques allait rester avec l'entreprise d'instruments médicaux et profiter de la croissance de celle-ci, accumulant promotions, augmentations de salaire, et, à la longue, sa part des bénéfices qui grandissaient sans cesse. Sans s'en rendre compte, il était devenu un membre à part entière d'un secteur en plein essor de la nouvelle économie.

L'expérience de Jean fut du tout au tout différente – et malheureusement beaucoup plus typique de ce qui arrive à des milliers de travailleurs industrieux et compétents, fervents adeptes du Rêve américain qui n'ont jamais pensé que le rêve pourrait se transformer en cauchemar.

Tout comme Jacques, Jean n'avait eu aucune intention de changer fréquemment d'emploi. Durant toutes ces années, il avait été au service de plusieurs entreprises, mais il n'était jamais sorti du domaine des machines-outils, l'assise indispensable de l'industrie américaine, du moins c'est ce qu'il semblait. Si Jean s'était rendu compte de la lame de fond qui le soulevait déjà et l'industrie avec lui, il n'aurait jamais orienté sa carrière dans le sens qu'effectivement il avait choisi.

Mais il en était béatement inconscient à l'époque. Tout a commencé en 1973, peu après ses débuts dans son premier emploi. Le monde industriel subissait le premier choc pétrolier provoqué, pour des raisons politiques et économiques, par les principaux pays producteurs de pétrole. L'ère de l'énergie à bon marché, qui avait alimenté le formidable essor de la fabrication et fait des États-Unis, pendant un demi-siècle, une puissance économique sans pareille dans le monde, cette ère-là tirait à sa fin.

Sans qu'ils y soient pour rien, Jean et des milliers comme lui étaient sur le point de vivre de grands bouleversements. Ils allaient connaître une angoisse et une souffrance comparables à celles qu'avait infligées la grande crise des années trente, et personne n'y était préparé. Les lendemains qui chantent sont tout d'un coup devenus une cacophonie de désespoir.

Comme l'avenir avait semblé souriant au début! Jean et sa femme Joanne, une infirmière qui restait à la maison pour s'occuper de leur premier enfant, avaient amassé assez d'argent pour verser un acompte sur l'achat d'un joli bungalow et, grâce à un budget soigneusement planifié, ils arrivaient à faire le remboursement mensuel de l'hypothèque sans ajouter à leurs dettes.

Puis, coup inattendu, après cinq ans dans son premier emploi, Jean se voit intimer l'ordre de ranger ses outils de dessinateur et de rentrer chez lui. Jamais il ne lui était rien arrivé de la sorte et les premiers doutes commencent à se faire entendre dans ses conversations. Bientôt, le doute le possède tout entier. Il a beau travailler fort, rien ne semble lui réussir depuis que l'assise de son monde se dérobe sous ses pieds.

Après cinq mois sans toucher de chèque de paie, le jeune couple quitte la ville avec la moitié seulement de leur acompte. Et même à cela, ils ont de la chance car l'immobilier a piqué du nez après plusieurs fermetures d'usine dans la région. Ils connaissent des gens qui ont tout simplement abandonné leur maison. Après des années de travail, partir les mains vides !

Jean n'a pas de peine à trouver du travail dans une autre ville, et dans l'ignorance où il était des puissantes forces économiques qui tourbillonnaient autour de lui, il lui est facile d'attribuer ses malheurs à une faute personnelle ou à la malchance tout bonnement. Joanne reprend sa carrière d'infirmière à plein temps et de nouveau, ils achètent une maison. Jean décide d'aller à l'université, en gestion des affaires. Son nouvel employeur, une importante société de machines-outils comptant des usines partout, lui offre de payer ses frais d'études, l'assurant qu'il y aurait toujours une forte demande pour des jeunes gens intelligents ayant des compétences techniques.

Aussi ambitieux que jamais, Jean suit des cours pendant une partie de sa journée de travail dans le cadre d'un projet d'alternance qui lui permet d'accélérer son programme d'études. Il a pour l'éperonner un nouvel enfant en perspective. Joanne accouche en effet de jumeaux, et neuf mois plus tard le ciel leur tombe sur la tête. Six mois avant de terminer le programme d'études, l'employeur de Jean vend la division où il travaille. Brusque annulation du projet d'alternance. Huit mois plus tard, Jean se retrouve sur le pavé. Le nouveau propriétaire « rationnalise » l'entreprise pour comprimer les coûts. Pas d'emploi, pas de diplôme universitaire, trois enfants en bas âge, et nulle part où aller.

Il serait merveilleux de pouvoir dire que Jean et Joanne sont venus à bout de leurs peines, mais en réalité les choses se sont gâtées encore davantage. Jean est tombé dans le doute et le désespoir, persuadé qu'il est responsable de ses déboires, que sans trop savoir comment il s'est égaré parce qu'il n'avait pas l'étoffe qu'il fallait. Or, tandis que Jacques et sa famille mènent une vie plutôt confortable, à peine touchés par la récession, Jean et Joanne ne peuvent élaborer de projets d'avenir parce que l'avenir est très incertain.

Il va sans dire qu'il y a des gens incompétents ou paresseux. Mais il y en a aussi, et ils sont beaucoup plus nombreux, qui comme Jean, ont cru qu'il suffisait de travailler dur pour assurer à leur famille toute la sécurité dont elle pourrait avoir besoin. Ils font le nécessaire, puis ils voient s'évanouir tous leurs espoirs en fumée.

Jean peut bien être pris au piège par des transformations dont il ne comprend pas la portée, mais à coup sûr il n'est pas seul. Ce pourrait être tout aussi bien cette personne qui promène un enfant le samedi au centre commercial, ou cette femme dans la pharmacie en train de lire l'étiquette d'un flacon de vitamines, ou encore, votre voisin d'à côté, votre ami, votre frère, votre sœur... ou vous-même.

Ce qui m'attriste là-dedans, c'est que la perte de ses rêves n'est pas une retombée inévitable de la conjoncture économique actuelle, malgré ce qu'en disent les experts. Je reconnais que l'épreuve qu'on vient de traverser est bien autre chose qu'un petit écho à l'écran radar de l'économie. Il s'agit de rien de moins qu'une révolution mais, à toutes fins utiles, elle pourrait être – elle devrait être – une révolution sans douleur. La nouvelle économie a de la place pour tous. Mais il faut avoir au préalable une espèce de carte routière qui permette de trouver son chemin.

Le monde de la fabrication en série dans lequel nous avons tous grandi vient de céder la place au monde de la technologie ; les industries, les travailleurs, les collectivités et, même, des pays entiers qui ne savent ou qui ne veulent pas s'adapter aux nouvelles réalités sont condamnés. Ce n'est pas peu dire que sans la carte routière, sans un guide intelligent qui signale le moyen de sortir du désert contemporain, on risque fort de se retrouver avec une nouvelle « génération perdue » : des millions de chômeurs et de personnes ne pouvant être embauchées qui assombrissent un futur par ailleurs brillant.

Jean a le pli de la survie et il est encore relativement jeune. Tel que je le connais, je suis plutôt optimiste quant à ses chances de donner une orientation positive à sa vie. Il se remettra d'aplomb en élaborant un projet de survie personnelle, projet qui devrait être la préoccupation actuelle de milliers de gens comme lui.

Les démarches à faire sont simples, et la première est d'une importance vitale : dresser l'inventaire précis des secteurs qui sont en croissance et de ceux qui ne le sont pas. S'assurer – et bien – que l'industrie à laquelle on associe ses espoirs et ses rêves a de l'avenir. Trop nombreux, ceux qui font l'erreur d'accepter le premier emploi proposant le salaire de départ le plus élevé, ou le statut le plus prestigieux, ou les avantages les plus alléchants. L'emploi le mieux bonifié ne garantit pas du désastre si l'on se trouve, comme Jean, bloqué dans un secteur de l'ancienne économie.

La dure réalité, c'est que dans l'ancienne économie les chances de perdre son emploi dépassent les 50 pour cent. La roulette russe offre une meilleure cote ! Personne ne peut se permettre un pari pareil, qui d'ailleurs n'est pas nécessaire quand la carte routière est claire et facile à suivre.

L'ÉPOQUE DE LA CERTITUDE

Le passage de l'ancienne économie à la nouvelle qui la supplante rapidement promet de la turbulence sinon du chômage à ceux qui œuvrent dans certaines industries. Même si les employés de la nouvelle économie n'ont pas à se montrer forcément plus diligents, ils vont recevoir des augmentations régulières, des primes, des promotions ; autrement dit, ils ont un avenir. Peu importe la taille ou la puissance apparentes de l'employeur ou le nombre d'usines qu'il possède de par le monde. Si celui-ci est retranché dans l'ancienne économie, une épée de Damoclès est suspendue sur la tête de chacun des employés, du cadre supérieur grassement rémunéré au petit commis à portion congrue.

Le secret, Jacques à son insu en a fait l'heureuse découverte, est de se laisser porter par le changement. Si Jacques avait changé d'emploi pour rallier un secteur entré dans une lente agonie, il aurait connu un sort funeste. On n'est pas obligé pour autant de devenir un as de l'informatique, ni d'obtenir un diplôme supérieur en mathématiques pour prospérer. Jacques a trouvé son créneau dans les instruments médicaux. Et combien d'autres se trouvent heureusement planqués dans les services de comptabilité, de production, de marketing et de ressources humaines des industries en croissance – qu'on pense au traitement des aliments, à l'éducation, au divertissement, aux vélos même – industries qui semblent avoir peu de rapport avec l'aspect haute technologie des affaires.

POUR SORTIR DU DÉSERT

Les taux intolérablement élevés de chômage qui tourmentent les décideurs politiques et les planificateurs économiques dénoncent avec une clarté impitoyable combien de blessés se débattent dans les décombres laissés par le passage de la tempête.

Les vingt industries à croissance la plus rapide

INDUSTRIE	Production 1992 à ce jour (milliards de dollars de 1987)	Croissance annuelle 1992/1987	Classement
Matériel électromédical	5,73	9,9 %	1
Instruments médicaux et chirurgicaux	11,53	8,2 %	2
Produits médicinaux et végétaux	4,93	8,0 %	3
Semi-conducteurs	28,84	7,8 %	4
Appareils de radiographie	2,26	7,8 %	5
Motos, vélos, pièces de rechange	1,54	7,7 %	6
Matériel et outillage agricoles	9,98	7,7 %	7
Matériel de production de pétrole et gaz naturel	3,83	7,0 %	8
Appareils de divertissement audio et vidéo	8,21	6,8 %	9
Abattage de volaille	20,54	6,6 %	10
Fournitures et appareils chirurgicaux	11,58	6,3 %	11
Appareils ménagers	3,19	5,9 %	12
Plomberie : éléments plastiques	0,94	5,8 %	13
Produits biologiques	2,11	5,5 %	14
Aliments congelés	15,64	5,0 %	15
Articles de sport et d'athlétisme	6,36	4,4 %	16
Produits chimiques agricoles	7,8	4,4 %	17
Instruments de mesure et de contrôle	9,63	4,3 %	18
Crème glacée et desserts congelés	4,4	4,2 %	19
Produits pharmaceutiques	38,96	4,0 %	20

Personne ne peut se permettre d'attendre que l'État guérisse les blessures infligées par le changement. Le temps qu'il mettrait à concevoir les politiques – sans parler de la mise en œuvre de celles-ci – requises pour effectuer la transition de l'ancienne à la nouvelle économie, serait trop long pour que Jean et ses semblables puissent réorienter leur vie dans le bon sens, et encore moins rattraper les années perdues.

Mais tôt ou tard, les gouvernements devront modifier les politiques conçues en fonction d'une ère révolue, et prendre des mesures susceptibles – on ne sait jamais – d'aboutir à des résultats concrets. J'ai eu l'occasion de constater, dans mes entretiens avec les hauts dirigeants, que ceux-ci font preuve d'une grande ouverture d'esprit aux idées nouvelles et j'y puise un certain réconfort. Comme tout le monde, ils savent que leurs tentatives pour enrayer la montée du chômage échouent à l'heure actuelle et ne valent certainement rien pour l'avenir.

L'essentiel du message que j'adresse à tous les paliers de gouvernement, c'est qu'on peut réaliser beaucoup sans dépenser davantage de l'argent que l'on n'a pas. Ce n'est pas tant le montant des sommes que la façon de les dépenser qui importe. Des politiques plus habiles pourraient même réduire le fardeau fiscal ainsi que le gaspillage terrible des ressources, tant humaines que financières. Il faut avant tout éviter de dépenser de l'argent dans des projets qui ne mènent à rien, par exemple, dans la formation menant à des emplois qui n'existent plus ou dans des industries qui ne connaîtront jamais plus la gloire d'antan.

Voici une liste aide-mémoire de ce que les gouvernements peuvent et devraient faire à la place.

1. **Baliser le bon chemin.** Donner aux gens une carte routière qui soit lisible et montre le chemin qu'ils doivent suivre pour arriver à l'emploi. Faire comme s'il s'agissait d'un cours d'entraînement à la survie, destiné à indiquer aux gens

égarés dans la jungle de l'ancienne économie un chemin de sortie. Il faut leur fournir les moyens concrets de se protéger contre les rudesses d'une époque en transformation, leur fournir le moyen de reconnaître la configuration du paysage économique et les passes dangereuses de celui-ci.

La carte de la nouvelle économie pourrait se présenter à l'échelle de la ville, à celle de la région mais, pour ceux qui ont le vrai goût de l'aventure, c'est à l'échelle du monde entier qu'on l'établirait. Les dirigeants pourraient s'étonner de l'utilité – et du coût modique – de ce service des plus simples. Munis des renseignements convenables et guidés par des points de repère très visibles, les réfugiés de l'ancienne économie avaient vite fait de cerner les industries, les emplois où se trouve leur avenir. Mais les gouvernements n'auront pas à jouer seulement le rôle de guide dans le désert. Il leur faudra encore faire un effort pour aider les gens à trouver la terre promise.

2. **Une formation menant à de vrais emplois.** L'État dépense déjà des milliards tous les ans pour former des gens à des emplois qui n'existent plus ou qui n'en ont plus encore pour longtemps. Il ne coûterait pas un sou de plus afin de changer de cap et de dispenser une formation visant à l'acquisition de compétences qui pourraient justifier un emploi durable. Dépenser ces sommes pour permettre l'acquisition de trois compétences de base donnerait aux chômeurs et aux sous-rémunérés une bonne longeur d'avance, et aiderait grandement à ramener le taux de chômage à des niveaux politiquement tolérables.

D'abord et avant tout, l'utilisation de l'ordinateur doit être un objectif national. Alors que le mode d'emploi sous forme de symboles (icônes) rend l'ordinateur moderne accessible à ceux qui ne savent ni lire ni écrire, il est indispensable que tous puissent lire manuels de logiciel et imprimés connexes.

Deuxièmement, il faut enseigner comment envoyer et recevoir des renseignements utiles par le biais des appareils de télécommunications modernes tels que télécopieur et modem, et comment consulter les bases de données. Un tel enseignement est tout ce qu'il y a de plus indiqué à une époque qu'on qualifie, à juste titre, d'« ère de l'information ».

Troisièmement, il faut inculquer les notions de base d'arithmétique. Les profs de maths se trompent royalement en brûlant l'étape de l'arithmétique au primaire pour en arriver plus vite à la trigonométrie et au calcul si chers aux futurs ingénieurs, scientifiques, mathématiciens professionnels ainsi qu'aux mordus de la statistique du baseball ou du hockey. Pour nous autres simples mortels, il serait beaucoup plus à propos de recevoir des séances d'instruction sur l'emploi d'une calculatrice – voire d'un simple crayon à mine – afin de faire des calculs aussi essentiels qu'une variation de pourcentage. Dans un monde en pleine évolution, c'est bigrement utile de pouvoir mesurer le changement.

3. **Amortir les coups.** Le message ici, c'est que l'État n'a pas à agir tout seul. Il devrait s'adjoindre l'industrie des assurances à titre de partenaire prêt à fournir une couverture additionnelle et plus étendue à ceux dont l'emploi est menacé. L'État a besoin d'aide pour freiner la montée vertigineuse des coûts du chômage.

4. **Le rachat des maisons.** Ce serait en effet un gouvernement sage et prévoyant qui garantirait aux gens la possibilité de déménager à la recherche d'un emploi sans perdre tout l'argent qu'ils auraient investi dans l'achat d'une maison. Un programme de rachat rendrait plus facile, sur le plan économique du moins, de quitter une région durement frappée où la revente d'une maison pour un prix le moindrement proche de sa valeur originale est à peu près impossible. Il

est beaucoup plus raisonnable pour un gouvernement d'entrer dans l'immobilier que de continuer à subventionner des gens qui n'ont pas l'ombre d'un espoir d'améliorer leur sort parce qu'ils n'ont pas les moyens d'aller là où se trouvent les emplois. L'assurance privée pourrait peut-être faire l'affaire. L'assurance hypothèque est déjà disponible aux acheteurs de maison. Pourquoi pas une assurance de réaffectation économique ?

5. **Garder les enfants en classe.** Tout gouvernement fait des vœux pieux à cet égard, mais lorsqu'il s'agit de politiques destinées à y porter remède, ô que c'est lamentable ! Il ne s'agit pas seulement d'encourager les adolescents à terminer leur scolarité mais de consacrer, pour tous les élèves, plus d'heures de classe par jour et plus de jours par année.

Dans un monde où la plupart des ménages ont besoin de deux revenus pour survivre, il est déraisonnable que les enfants quittent l'école à trois heures de l'après-midi ou qu'ils passent l'été tout seuls dans un décor d'où les parents sont absents. Certaines commissions scolaires ont déjà fait l'expérience de trimestres plus longs, d'un plus grand nombre d'heures et d'un fonctionnement sur toute l'année. Le système actuel se justifiait dans une culture rurale qui exigeait la présence des enfants pour des corvées telles que les semences, la nourriture du bétail et les récoltes. Il n'était certainement pas conçu pour permettre de longues vacances entre de trop brèves périodes d'apprentissage.

J'entends déjà les cris d'angoisse des enseignants et des commissions scolaires en mal de fonds. Peu de gens s'empressent d'accueillir le changement, du moins pas avant que le changement ne les ait laissés de côté. C'est ce qui s'est déjà passé en éducation où les Nord-Américains ne cessent de perdre du terrain en ce qui concerne l'enseignement des compétences nécessaires pour trouver un créneau dans la nouvelle économie. Et pourtant, si ce n'est pas justement la tâche de l'éducateur d'aider à trouver ce créneau, je me demande ce qu'elle pourrait bien être.

À l'université même, j'enrage à chaque fois que j'entends les universitaires débattre de la finalité de l'éducation. Ils sont trop nombreux à s'accrocher à la vieille idée reçue selon laquelle l'université doit s'entourer de remparts contre le monde réel de l'extérieur. Ces défenseurs de l'ordre ancien opposent une résistance féroce à toute notion voulant que la formation des étudiants puisse répondre aux besoins du marché du travail. Je n'ai rien contre une éducation classique. Elle peut être source d'immense satisfaction. Mais par les temps périlleux qui courent, un tel programme d'éducation enlève des fonds précieux aux programmes de formation pratique dont ont si grand besoin la majorité des futurs travailleurs qui ne sauraient distinguer Platon de Pluton. Le syndrome « tour d'ivoire » a perdu beaucoup de terrain depuis que les universités ont dû se serrer la ceinture et inventer de nouveaux moyens pour lever des fonds, le plus souvent en se branchant sur le secteur privé qui – les affaires étant les affaires – ne connaît du latin que *quid pro quo*, c'est-à-dire, occupez-vous de mes R & D et je vous paie un laboratoire neuf. Mais les vieilles idées ont la vie coriace chez les universitaires, surtout celles qui viennent du bas Moyen Âge.

J'ai encore maille à partir avec les universités au sujet de leurs équipements et programmes qui sont terriblement démodés. Comme tout le monde, l'université n'a d'autre choix que de faire face au changement en présentant des procédés, des produits et des marchés qui correspondent en fait à ce qui se passe dans la vie réelle. Il faut des programmes spécifiquement orientés vers le travail dans le monde réel. Si un étudiant passe quatre ans à étudier l'archéologie, il devrait être à même de commencer à faire des fouilles dès la fin de ses études. Les programmes d'alternance qui combinent travail et études offrent la solution voulue.

6. **Donner un sens à l'assistance sociale.** On ne s'attend pas à ce que tous les assistés sociaux réintègrent le marché du travail. Il y a ceux que des problèmes de santé ou d'affectivité, par exemple, laissent dépourvus devant les exigences de toute économie, ancienne ou nouvelle. Mais il n'en est pas moins raisonnable de considérer l'assistance sociale comme un pansement provisoire pour les blessures reçues sur le champ de bataille économique. La plupart des blessés ne demandent pas mieux, d'ailleurs, que de reprendre le combat, mais ils ne savent pas comment.

Le fouillis de programmes actuellement en vigueur dans la plupart des pays occidentaux ne sert à rien. Mais ces programmes pourraient servir s'ils étaient reliés directement à une formation pour la vie réelle, pour un service communautaire qui rendrait aux assistés leur dignité et leur donnerait au moins une chance honorable. Seuls les handicapés devraient être excusés.

7. **Rationaliser la croissance économique.** Il m'a toujours paru ridicule de venir en aide à coup de millions à des régions et municipalités, sans qu'on ait au préalable une idée claire de leur vocation future. Que dis-je, ridicule ? Dans le monde contemporain, endetté et en pleine évolution, c'est carrément dangereux, et c'est l'une des raisons du cynisme répandu à l'égard de la politique. Les Terre-Neuviens savent très bien que les quelques centaines de millions de dollars qu'on leur jette en pâture ne leur vaudront pas un travail authentique qui remplacera les pertes d'emploi dans les pêcheries moribondes. Ce qu'il leur faut, c'est une aide susceptible de faciliter la transition à l'économie nouvelle où se trouvent les vrais emplois et le véritable avenir.

On demanderait en vain qu'une communauté change le fondement de son économie si celle-ci n'a pas reçu une idée nette de ce en quoi l'économie devrait changer, ou des buts qu'elle doit atteindre. Si l'État prône une économie fondée sur les connaissances intellectuelles, il devrait s'assurer des moyens de mesurer le succès de l'aide apportée. Sinon des sommes immenses vont s'engouffrer dans des trous sans fond. Il ne sert à rien de maintenir en vie, grâce aux largesses de l'État, des mines et des usines antiques si les mêmes fonds peuvent servir à alimenter de nouvelles industries riches de potentiel de croissance dans la nouvelle économie.

8. **Apprendre comment et qui imposer.** Les politiques fiscales de l'État sont depuis longtemps à revoir en profondeur. Si on soumettait ces politiques à un examen approfondi, on serait sans doute surpris de constater que les taux d'imposition des industries faisant partie de la nouvelle économie sont en général supérieurs à ceux des géants titubants de l'ancienne économie.

Les vieilles entreprises de fabrication sont là depuis si longtemps qu'elles ont accumulé toute une panoplie d'abattements et d'avantages fiscaux, fruits de plusieurs décennies d'un lobbying soutenu. Les industries d'origine récente, surtout celles qui sont axées sur les connaissances intellectuelles comme celle des logiciels, se trouvent involontairement pénalisées du fait qu'elles n'ont pas de vieux éléments d'actif, tel qu'une immense usine de montage, qui bénéficient d'une généreuse dépréciation.

L'État ne devrait pas avoir pour objectif, même indirect, de décourager par une fiscalité injuste la croissance de nouvelles industries, et surtout pas s'il a à cœur de favoriser un niveau de vie plus élevé.

ÉCARTER L'ÉTAT ?

En fin de compte, la nouvelle économie offre à l'État une belle occasion de participer au processus du changement au lieu de se constituer en obstacle à ce qui est inévitable.

L'État peut beaucoup pour jeter des passerelles entre l'ancienne et la nouvelle économie. Les opposants à toute intervention publique réclament l'entière liberté du secteur privé qui s'ajustera aux transformations comme bon lui semble. Mais si l'État n'est pas encore tout à fait à la hauteur de la tâche, faut-il l'écarter pour autant ?

Il n'y a certes rien qui indique que les compagnies enracinées dans l'ancienne économie sont en mesure de changer de cap toutes seules. L'État a là un rôle à jouer aussi critique que celui qu'il a joué en élaborant les filets de sécurité essentiels à la relance qui nous a sortis de la Grande Dépression et qui a permis la longue expansion d'après-guerre. Il est grand temps que ces filets, si soigneusement tissés à l'intention d'une économie désormais caduque, soient remplacés par d'autres, mieux adaptés aux besoins de la nouvelle économie. C'est bien beau de dire à l'État de s'occuper de ses affaires, mais ça ne marche pas comme ça dans le monde réel. Seuls les insensés veulent faire cavalier seul.

Les ajustements à faire exigent pas mal de travail d'équipe. Il suffit de voir les ravages faits sur les victimes du changement pour qu'on se rende compte du sort qui nous attend en tant que pays si nous ne travaillons pas ensemble.

LES TRANSFORMATIONS QUI BLESSENT

Ces jours-ci, j'ai reçu un coup de fil d'un ingénieur de cinquante-cinq ans qui avait fait carrière auprès d'un géant mondial des produits forestiers. Il voulait me parler d'une entrevue que j'avais donnée à la télévision, justement sur ce sujet. Plus je l'écoutais parler d'une voix douce de sa vie et de ses années de travail, plus il m'est apparu évident qu'il avait renoncé à lutter, même s'il était d'avis que mes conseils pourraient être utiles à d'autres, et cela, il tenait à ce que je le sache.

La voix de l'ingénieur laissait percer sa douleur. Sa carrière était finie, son mariage brisé, ses économies évanouies. Très qualifié, possédant deux diplômes universitaires, il avait œuvré pendant dix-sept ans dans un poste hautement rémunéré. Mais les ventes de l'entreprise baissant sans cesse en deçà des objectifs, une concurrence plus alerte, apportant les solutions voulues aux problèmes d'environnement et s'appuyant sur une meilleure technologie pour développer les nouveaux procédés et les nouveaux produits réclamés par le marché, l'ingénieur avait été remercié. Il en fut sidéré. Jamais rien de la sorte ne lui était arrivé auparavant.

« Je suis de la vieille école. On m'a toujours dit que les seuls à perdre leur emploi sont ceux qui le méritent bien. Je me demande sans cesse : Où me suis-je fourvoyé ? Et à vouloir trouver la réponse j'ai failli devenir fou. »

L'ingénieur, comme beaucoup d'entre nous, était peu préparé aux transformations. Si vous songez à changer d'emploi ou si des circonstances indépendantes de votre volonté vous ont forcé la main, qu'est-ce que vous faites ? Instinctivement, on veut faire comme Jean et l'ingénieur, on veut rester dans la branche qu'on connaît le mieux, où les compétences et l'expérience acquise comptent pour quelque chose. Cette réaction en apparence logique risque de vous perdre complètement.

La dernière chose à faire est de se laisser tomber de Charybde en Scylla, de quitter un emploi pour un autre, toujours dans l'ancienne économie. Pire encore, ce serait gaspiller énergie et temps précieux, sans parler des économies fondant à vue d'œil, que d'attendre que tout se remette à sa place comme avant. Face aux transformations, personne ne peut se permettre de les tenir pour un affront, de s'imaginer qu'on a commis une terrible erreur, que ces transformations sont en quelque sorte notre faute.

NE PAS BATTRE DE L'AILE

La prochaine fois que vous en aurez l'occasion, jetez un coup d'œil autour de votre lieu de travail. Vous serez étonné de la quantité d'indices qui signalent les chances de survie de votre employeur. Et rappelez-vous que la taille et les gloires passées ne comptent pas pour grand-chose. Votre employeur a beau avoir été un pionnier novateur il y a trente ans, implantant usines et bureaux partout dans le monde, mais s'il n'a pas trouvé de façon de s'intégrer dans la nouvelle économie, l'avenir de son entreprise – et le vôtre si vous vous y attardez trop longtemps – risque d'être plutôt sombre.

Peu importe à quelle industrie mourante vous avez consacré des années de votre vie – pêche à Terre-Neuve, services financiers à New York, pétrole au Texas, ou transport urbain n'importe où. Les compétences de base dans la nouvelle économie ne sont tout simplement pas les mêmes que celles de l'ancienne.

Dans cette ancienne économie, dont les beaux jours ne reviendront plus, impossible d'obtenir de l'avancement si on ne savait pas utiliser le téléphone, dire l'heure, rendre la monnaie exacte, écrire son nom. Si on ne possédait pas ces techniques simples, on se condamnait à une vie de travail éreintant avec un salaire de misère et peu de possibilités d'avenir.

Nous connaissons tous des gens, et nous les admirons, qui contre tout obstacle ont réussi, qui ont dû malgré eux quitter l'école très jeunes pour venir en aide à leur famille pendant les temps sombres des années trente et surtout quarante, époque où tant de chefs de famille sont tombés sur les champs de bataille ou en sont revenus mutilés et inaptes à gagner leur vie. Qu'ils soient nés en Amérique du Nord ou qu'ils aient débarqué sur ce continent à la recherche d'une vie meilleure, ces gens qui ont réussi avaient le sens instinctif de la survie. À force d'efforts acharnés, ils sont parvenus à se doter des compétences qu'il fallait pour améliorer leur vie et celle de leurs enfants. Ils étaient prêts au risque parce qu'ils savaient dans leur for intérieur que l'avenir était sûrement meilleur que ce qu'ils avaient connu auparavant.

Les mêmes principes s'appliquent aujourd'hui aux millions de personnes dont la vie est bouleversée par des forces économiques qu'elles ne comprennent pas, et qu'on n'a pu leur expliquer. Certaines connaissances de base sont tout aussi nécessaires de nos jours, celles qui permettent de fonctionner dans la nouvelle économie.

Dans l'ancienne économie, une foule d'emplois échappaient à qui ne savait pas conduire une voiture. Il en est de même aujourd'hui pour l'ordinateur. Ceux qui ne savent pas l'utiliser doivent se résigner à ne consulter que deux pages d'offres d'emploi au lieu de six. On ne veut pas dire par là que les chauffeurs d'automobile devaient être en mesure de concevoir des véhicules, pas plus qu'ils n'étaient tenus d'en connaître le fonctionnement ni l'entretien, tâches qu'on confiait à des mécaniciens professionnels. Il suffisait de mettre la clé, d'allumer le moteur et de diriger l'engin sans écraser personne sur son passage. On peut en dire autant de l'ordinateur. Il ne s'agit pas de savoir le programmer ni comment il marche, mais il faut savoir l'ouvrir et le fermer et comment y charger le logiciel nécessaire sans bousiller l'appareil.

Lorsque Alexander Graham Bell s'est pointé avec son idée de téléphone, voici déjà plus d'un siècle, ses bailleurs de fonds ont voué son invention aux gémonies. À l'heure actuelle, il est impossible d'imaginer faire des affaires sans téléphone. Quelques décennies après cette invention, on était mal venu de postuler un emploi sans savoir faire un appel téléphonique. Et on risquait de sérieux ennuis si on ne savait que faire lorsque l'appareil noir commençait à sonner soit sur le bureau soit dans l'atelier. Dans la décennie 1990, il est tout aussi essentiel de savoir comment se comporter en présence d'un télécopieur ou de l'appareil de courrier vocal dont le téléphone de l'ordinateur sera probablement muni.

Dans l'ancienne économie, tout le monde devait savoir lire l'heure. Sinon, comment auraient-ils fait pour se rendre au travail le matin ? Mais à l'heure planétaire des années 90, il importe de savoir lire l'heure qu'il est en Corée, ou en Allemagne, ou au Brésil.

Lire et écrire, voilà deux compétences pratiques dont tous admettent l'importance. Mais voilà que les moyens pour écrire ont changé – le crayon électronique est en train d'évincer le vieux crayon à mine – et pour s'acquitter de la tâche, il faudra vraisemblablement lire plutôt le manuel de logiciel que le mode d'emploi d'une machine à écrire. De même, l'arithmétique pour rendre la monnaie exacte cède le pas à la calculatrice. C'est effrayant pour tant de gens de savoir que désormais leur emploi exige l'utilisation de la fonction calculatrice incorporée dans des progiciels tel Windows de Microsoft !

De telles innovations transforment les industries de fond en comble, de la plus complexe à la plus primaire. Un agent immobilier de ma connaissance vient de commencer à se servir d'un dispositif électronique qu'il porte à la ceinture. Une légère pression du doigt lui apprend à l'instant quelle maison vient d'être mise en vente et à quel prix. Il appelle tout de suite des clients prospectifs par téléphone cellulaire pour prendre rendez-vous.

Ancien de la vieille école, il n'était pas sûr, au début, d'avoir besoin de ces nouveaux gadgets (il restait plutôt froid à l'installation dans son bureau d'un système informatique qui lui fournissait la liste imprimée des ventes passées dans son territoire aussi loin en arrière qu'il voulait remonter). Mais lorsqu'un jour, il a voulu conclure un marché assez compliqué, il en a été empêché parce que son homologue dans les tractations ne possédait aucun des nouveaux outils. L'empêchement n'avait été que de quelques heures, mais la perte de temps – dans une activité où le temps, c'est de l'argent – l'avait guéri de ses réticences.

LA SOLUTION À SOIXANTE-SEIZE DOLLARS

L'agent immobilier en est maintenant persuadé ; la vie sans ordinateurs et les moyens modernes de communication est impensable. En dressant votre plan de survie, le simple bon sens vous dicte de profiter des programmes de formation en informatique et communication électronique offerts par votre compagnie. Le changement est inévitable, et vous vous devez d'en faire partie. La gestion d'équipe, la communication (y compris l'art d'écrire et de parler), les connaissances numériques, voilà qui peut faire la différence entre la réussite et l'échec. Ne vous gênez pas non plus pour demander à vos enfants de vous montrer comment utiliser un ordinateur. C'est la moindre des choses qu'on puisse leur demander en échange de tout cet argent que vous a coûté le dernier sorti des jeux Nintendo. On devrait tous, au minimum, savoir naviguer dans des programmes tels que WordPerfect, Lotus 123 ou Excel, dBase et Windows. Et c'est une des réalités incontournables de l'ère informatique que la nécessité de savoir envoyer et recevoir des informations – en d'autres mots, communiquer – à moins d'accepter de se laisser planter. Dans le milieu industriel, il est crucial de savoir ce que signifient le DAO et la FAO, de savoir pourquoi le dessin assisté par ordinateur va de pair avec la fabrication assistée par ordinateur.

Si vous êtes actuellement sans emploi, un moyen tout indiqué de revaloriser vos compétences est de vous porter bénévole à toutes les occasions possibles. Troquez votre temps et vos efforts contre les nouvelles compétences dont vous pourriez avoir besoin. Peut-être proposer ses services pour un mois à un fabricant d'ordinateurs, à une firme de diagnostic médical, à une société d'environnement-conseil? Vous leur dites que vous voulez bonifier votre savoir-faire et que, si on consent à vous former sans frais, vous donnerez votre temps gratuitement. De plus, il y a des cours de tout acabit offerts par les collèges, par correspondance, par les commissions scolaires; ils sont abondants, pas chers et de courte durée. Vous n'avez pas besoin de suivre une année de littérature française pour maîtriser la technique de la rédaction. Beaucoup de cours sont disponibles le soir ou la fin de semaine. Pour 76 $ ou moins – parfois gratuitement – on peut envisager un avenir dans la nouvelle économie!

SEULS LES SOLITAIRES

Une dernière réflexion à l'intention de ceux qui se trouvent bloqués dans l'ancienne économie. Une telle situation comporte au moins un avantage possible. On pourrait peut-être monter rapidement en grade, bien que de façon temporaire, au fur et à mesure que d'autres sur l'échelle, voyant venir la tempête, se hâtent de débarquer avant que la galère ne s'enfonce. Dans une entreprise pareille, on entend souvent le chef de direction dire que, dans son poste solitaire, il se sent bien seul. Et pour cause!

Mais se trouver laissé pour compte dans l'ancienne économie, ce n'est pas une histoire très drôle pour des gens comme Jean. Leur vie s'effiloche, et leur douleur, ainsi que Jacques l'a compris le soir des retrouvailles, est on ne peut plus réelle.

CHAPITRE 4

Les nouvelles réalités

À une époque où des informations économiques se déversent sur nous par toutes les voies médiatiques possibles, c'est frappant combien peu d'entre elles touchent au fonctionnement réel de l'économie ou au rôle que nous sommes appelés à y jouer. L'économie subit de vastes transformations depuis une décennie ; des industries entières, à partir d'origines modestes, sont devenues de puissantes motrices de croissance. Et pourtant, l'impact de ces industries sur nous tous demeure un secret étonnamment bien gardé.

Les experts tâtent le pouls de l'économie aux mauvais endroits et en arrivent à des prévisions trompeuses fondées sur des informations défraîchies et des hypothèses erronées. La nouvelle économie, c'est bien plus qu'une constellation de chiffres sur un imprimé-machine. Elle est concrète, elle nous enveloppe et elle évolue constamment. Où est-il écrit que telle entreprise, telle industrie ou telle structure économique a la vie éternelle ?

Comme un organisme biologique, chacune fait son temps sur la terre avant d'être remplacée par autre chose.

Les enfants naissent, puis un jour les parents se réveillent devant des adolescents qui réclament les clés de la voiture. Puis, en un clin d'œil, les ados deviennent des adultes qui tiennent des enfants dans les bras. Grand-père et grand-mère se font vieux et la santé commence à flancher. Serait-on choqué de se faire dire que les enfants grandissent à la longue, qu'ils finissent par quitter le foyer familial pour en fonder un nouveau ? Il en va de même pour des secteurs de l'économie qui ont évolué. Des enfants ont grandi pour devenir de robustes adultes alors que tout le monde s'inquiète de la santé déclinante des grands-parents. Les temps difficiles, qui de toute évidence sont source d'angoisse et de douleur pour ceux dont le gagne-pain relève des vieilles motrices économiques, doivent être replacés dans le contexte de cette évolution.

Ce que j'appelle *les réalités nouvelles* se portent en faux contre la sagesse reçue quant au fonctionnement de l'économie et à la place que nous devrions y tenir. En me rendant compte que les prophètes de malheur se trompaient d'avenir, j'ai eu l'impression de trouver de l'or dans une mine de sel !

QU'EST-CE QUI EST EN CROISSANCE ET QU'EST-CE QUI NE L'EST PAS ?

Les plus étonnantes découvertes naissent des questions les plus simples. Pourquoi le ciel est-il bleu ? Pourquoi la pomme se détache-t-elle de l'arbre pour me tomber sur la tête ? D'où viennent les nouveaux-nés ? Pourquoi la roue est-elle ronde ? Pourquoi est-ce que le niveau de l'eau monte quand je me mets dans la baignoire ? Pourquoi appelle-t-on Ti-Pit un lutteur pesant cent quarante kilos ?

La question que je me suis posée un beau jour de printemps 1988 est la suivante : Qu'est-ce qui est en croissance et qu'est-ce qui ne l'est pas ? En voulant répondre à cette question, je devais quitter les chemins battus par d'autres économistes pour pénétrer dans des terres inconnues aux virages inattendus et parsemés d'embûches.

En scrutant une centaine d'industries, j'ai été surprise de constater que celles dont semblait sans conteste dépendre notre avenir, telles les autos et l'acier, étaient loin de posséder l'ampleur de jadis. En revanche d'autres industries, telles les semi-conducteurs et les communications, que je n'avais jamais tenues pour des industries majeures avant de commencer ma recherche, s'avéraient immenses.

Pour me rendre compte de ces changements étonnants, je me suis mise d'abord à classer les industries par ordre d'importance et à les mettre en regard de ce qu'elles étaient en 1972. Le tableau de la page suivante est une version mise à jour et retouchée de ma première ébauche de schématisation des secteurs importants de l'économie.

J'ai voulu ensuite retracer la croissance et le déclin de 207 industries. Ce chiffre n'a d'ailleurs rien de scientifique. Il représente toutes les industries américaines sur lesquelles j'ai pu me procurer des renseignements auprès du Bureau de recensement de Washington. Quand on part de zéro, il faut se débrouiller avec les moyens du bord.

Il m'est vite apparu que certaines industries étaient en déclin depuis belle lurette. Soixante-deux d'entre elles indiquaient un taux annuel composé de croissance négatif, en d'autres mots, elles se contractaient bon an mal an. Quarante industries avaient plafonné bien avant 1975 et 118, qui enregistraient une croissance marginale, étaient vouées à des lendemains très sombres autour de 1988. Il n'était pas difficile de prévoir qu'une industrie en déclin depuis quinze ans n'allait pas promouvoir grand-chose.

Ce qui m'a vraiment frappée, cependant, c'est l'activité qui se produisait à l'autre bout de l'échelle, où quarante-huit industries – malgré les hauts et les bas de la récession, malgré les années de vache grasse et de vache maigre, malgré la fluctuation du dollar – avaient enregistré un taux annuel composé de croissance réelle de 3,5 pour cent ou plus à tous les ans. Les plus performantes, dix-neuf industries, marquaient une croissance réelle à long terme de 5 pour cent ou plus, ce qui réjouirait le cœur de tout chef de direction, actionnaire ou employé à la recherche de la sécurité. En examinant celles-ci à la loupe, j'ai vite fait de repérer les traits communs fascinants qui reliaient ces industries entre elles.

QU'EST-CE QU'UNE « MOTRICE » ?

N'est pas stratégique toute industrie en croissance. Il y en a qui connaissent une expansion rapide mais n'entraînent pas les autres à leur suite. Il m'a fallu des mois de recherches poussées pour comprendre pourquoi certaines industries se font motrices (industries qui propulsent l'ensemble de l'économie) alors que d'autres ne le font pas.

Mais dès les premières semaines, il est apparu clairement que :

1. Une industrie stratégique ne peut être en déclin. Comment une motrice peut-elle progresser et reculer en même temps ?
2. N'est pas motrice toute industrie à croissance. Il y en avait certes qui grandissaient à une allure incroyable, mais qui restaient de trop petite envergure pour que le reste de l'économie s'en ressente.

Par exemple, l'industrie commerciale de l'espace existait à peine en 1987. L'année suivante, elle était déjà une affaire de 1,8 milliard de dollars. Et fin 1991, elle était sur le point de dépasser les 4 milliards de dollars.

La recherche et le développement dans le domaine spatial ne semblent guère devoir se présenter candidats

L'industrie aux États-Unis : une structure en évolution

FABRICATION : LES PLUS GRANDES INDUSTRIES

en 1972	en 1992
1. Véhicules automobiles et pièces	1. Véhicules automobiles et pièces
2. Produits de la viande	2. Raffinage du pétrole
3. Produits sidérurgiques	3. Aérospatiale
4. Textiles	4. Ordinateurs et semi-conducteurs
5. Confection des vêtements	5. Produits de la viande
6. Raffinage du pétrole	6. Produits laitiers
7. Produits laitiers	7. Plastiques
8. Avionnerie et pièces	8. Instrumentation
9. Boissons	9. Produits chimiques organiques industriels
10. Produits de minoterie	10. Appareils radio et TV
11. Produits chimiques organiques industriels	11. Produits sidérurgiques
12. Savon et nettoyants	12. Imprimerie commerciale
13. Plastiques	13. Produits pharmaceutiques
14. Imprimerie commerciale	14. Pâtes et papier
15. Journaux	15. Éléments électroniques
16. Produits pharmaceutiques	16. Conserverie
17. Produits de boulangerie	17. Journaux
18. Meubles de maison	18. Emballage
19. Produits chimiques inorganiques industriels	19. Équipements téléphoniques
20. Pneus	20. Aliments congelés

au titre de nouvelle industrie majeure. Comment la fabrication de cristaux de protéine dans l'espace peut-elle avoir une telle valeur ? Et pourtant cette année, la NASA va mettre en location, de façon régulière, des installations de R & D dans l'espace. (Si votre laboratoire était situé autrefois à Milwaukee, la planète Mars pourrait avoir un certain cachet pour le marché !) Ce qui n'était auparavant que les rêveuses imaginations d'auteurs de science-fiction devient effectivement une industrie à forte croissance. Mais s'agit-il d'une industrie motrice ? Non. C'est une industrie prometteuse qui pourrait un jour devenir une puissante force économique, peut-être pour nos petits-enfants.

Un autre exemple est celui de « l'intelligence artificielle » ou « systèmes experts », comme disent les savants qui conçoivent les machines « pensantes ». Cette industrie a augmenté de 50 pour cent aux États-Unis entre 1987 et 1988, mais ses revenus n'ont été que de l'ordre infime de 2 M $. Fin 1991, ces revenus atteignaient 140 M $ par an, ce qui n'est pas trop mal en pleine récession. Mais soyons réalistes. Dans une économie de 5,7 trillions de dollars, 140 M $ par an ne représentent même pas une goutte d'eau dans la mer.

Il y a une différence fondamentale entre une industrie en croissance et une industrie stratégique. Pour qu'elle soit stratégique, il faut que l'industrie soit en croissance, ce qui élimine du coup l'industrie automobile ainsi que bon nombre d'autres industries qui prennent encore beaucoup de place dans l'économie et font couler beaucoup d'encre (rouge d'habitude) dans la presse.

Et pour être stratégique, il faut qu'une industrie soit devenue assez dynamique pour qu'elle stimule la croissance ailleurs dans l'économie. Fidèle à ce critère, j'ai dû rayer de ma liste beaucoup d'industries. Celles qui y répondaient se détachent comme un phare sur un promontoire. Les industries stratégiques à haute croissance – les motrices – tombent dans quatre catégories :

- Ordinateurs et semi-conducteurs (y compris logiciels et services informatiques)
- Soins de santé (y compris médicaments, biomédecine, fournitures et matériel médicaux et chirurgicaux)
- Communications et télécommunications (y compris matériel de fusées et d'appareils astronautiques, communications radio et micro-onde, et divertissement)
- Instrumentation (contrôle de processus, matériel et conseil axés sur l'environnement, instruments optiques et lentilles, matériel d'ingénierie et scientifique)

Des industries telles que l'automobile, la sidérurgie, le pétrole et la construction résidentielle, autrefois les motrices dynamiques de l'économie et dont les ennuis font toujours la manchette des journaux, n'occupent plus les devants de la scène. Elles se font bousculer par de fougueuses nouvelles venues qui n'avaient même pas le statut d'industrie il y a quinze ans, mais dont la présence se fait drôlement sentir aujourd'hui.

DE NOUVELLES RÉALITÉS, ENTRE AUTRES :

- Le volume de l'industrie américaine des soins de santé et du matériel médical est à lui seul supérieur à celui des industries suivantes toutes confondues : raffinage de pétrole, avionnerie, automobile et pièces, textiles, sidérurgie et extraction minière. D'ici la fin de la décennie, un Américain sur dix y trouvera son emploi. Toute industrie qui compte pour 13 pour cent de l'économie américaine a certes le droit de passer pour une motrice principale de la croissance.

Par contre, la construction résidentielle, que nous avons tous appris à tenir pour l'un des critères-clés du bien-être économique, ne compte que pour 3,9 pour cent de l'économie des États-Unis. Ce n'est pas que la construction résidentielle soit moins importante, c'est tout

Les quatre motrices[MC]

ORDINATEURS ET SEMI-CONDUCTEURS

Matériel informatique

Semi-conducteurs

Logiciels

Services informatiques

SOINS DE SANTÉ

Diagnostic et soins médicaux

Produits pharmaceutiques

Instruments de médecine et de chirurgie

Fournitures et matériel médicaux et chirurgicaux

COMMUNICATIONS ET TÉLÉCOMMUNICATIONS

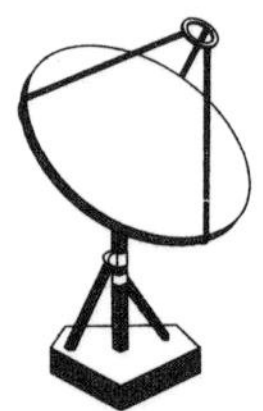

Services de télécommunications

Missiles téléguidés et matériel aérospatial

Communications radio et micro-onde

Divertissement

INSTRUMENTATION

Instruments d'optique et lentilles

Matériel d'ingénierie et scientifique

Contrôle de processus

Matériel et conseil axés sur l'environnement

simplement que d'autres industries telles que les soins de santé sont encore plus importantes aujourd'hui.

- L'industrie aérospatiale compte plus d'employés que celles réunies de l'automobile et des pièces. Pensez donc ! Les géants de l'automobile et leur vaste réseau de fournisseurs ne font plus le poids face aux entreprises qui fabriquent les satellites, les stations spatiales, les fusées et tout le bazar de l'industrie bourgeonnante de l'espace. « La Guerre des Étoiles » et d'autres projets tout aussi farfelus que coûteux risquent de ne jamais décoller, mais l'industrie ne s'en porte pas mal pour autant.

- Ceux qui s'imaginent que toute la quincaillerie *high-tech* nous arrive de Taïwan seraient surpris d'apprendre que les Américains qui font des ordinateurs sont plus nombreux que ceux qui fabriquent des voitures. Dans son ensemble, l'industrie de l'ordinateur (matériel, semi-conducteurs, services informatiques) compte plus d'employés que celles toutes confondues de l'automobile, des pièces, de la sidérurgie, de l'extraction et du raffinage du pétrole.
- L'industrie du logiciel, à peine visible avant les années 80, grandit au taux vertigineux de presque 25 pour cent par an pour atteindre les 45 milliards de dollars par année.
- L'industrie électronique se moque bien de l'affreuse récession qui depuis deux ans hante l'esprit des chefs de gouvernement, des dirigeants de banque centrale et de leurs critiques. Depuis quatre ans, les emplois dans l'électronique américaine seule grimpent de 18 pour cent pour atteindre 2 millions d'effectifs. Au Canada, supposément englué dans les bois, les mines et les champs pétroliers, plus de monde travaille dans le domaine très évolué de l'électronique que dans les pâtes et papier, même en Colombie-Britannique pourtant riche en forêts.
- Les Américains travaillent plus nombreux dans les semi-conducteurs que dans la machinerie de construction, plus nombreux dans l'informatique que dans le raffinage du pétrole.

- L'information et les communications comptent pour 8,5 pour cent du produit intérieur brut américain.
- Les cabinets d'experts-comptables emploient plus d'Américains que toute l'industrie énergétique. Les croque-chiffres emploient trois fois plus de monde que toute l'industrie de l'extraction minière.
- L'industrie de la biotechnologie emploie plus d'Américains que tout le secteur des machines-outils.
- L'industrie cinématographique emploie plus de monde que l'ensemble de l'industrie automobile.
- Pratiquement inexistante il y a quinze ans, l'industrie de location de matériel est presque aussi grande que l'industrie pétrochimique.
- La vente au détail occupe cinq fois plus d'Américains que le secteur des produits chimiques.
- Les disques compacts n'ont fait leur apparition que récemment, mais déjà cette nouvelle industrie rapporte 4 milliards de dollars par an.
- L'industrie de conseil en informatique est encore plus grande – 49 milliards de dollars par an – tandis que les revenus du traitement des données dépassent les 35 milliards de dollars par an.
- L'industrie du tourisme est plus grande que la sidérurgie et le raffinage du pétrole confondus.
- Deux fois plus d'Américains fabriquent des instruments de chirurgie et de médecine qu'ils ne font des produits de plomberie et de chauffage.
- Le Canadien passe toujours pour un fendeur de bois et un porteur d'eau, mais dans la province super-boisée de la Colombie-Britannique plus de gens travaillent dans les communications et télécommunications que dans l'industrie forestière.

- Plus de Québécois œuvrent dans le domaine des soins de santé que dans les secteurs traditionnels tous confondus de la construction, des textiles, du vêtement, du meuble, de l'automobile, du bois et de l'extraction minière.
- L'Ontario emploie presque autant de monde dans l'hydro-électricité que dans l'industrie automobile, pendant longtemps le fleuron de sa couronne industrielle.
- En Nouvelle-Écosse, il y a plus de monde dans l'enseignement toutes catégories que dans les secteurs tous confondus du conditionnement de poisson, de la pêche et de la construction. À la vérité, cette province maritime compte le plus grand nombre d'universités par tête d'habitant de toutes les provinces, ce qui en fait la région à plus haute densité intellectuelle du pays.

Ces nouvelles réalités ne sont d'aucune façon limitées à la seule Amérique du Nord. La même conjoncture se dessine dans toutes les grandes économies industrielles. La vague déferlante qui s'abat sur l'Amérique du Nord entraîne également des transformations de fond au Japon et en Europe.

Quatre motrices principales propulsent la nouvelle économie mondiale, et c'est le dynamisme de celles-ci qui est le vrai baromètre de la conjoncture actuelle et des possibilités d'avenir de tel ou tel pays. L'examen de ces industries motrices a pour résultat une vision bien différente de celle qu'inspire l'examen des industries traditionnelles qui dominaient l'ancienne économie mais qui ne sont plus capables de faire remonter la pente au convoi économique. Dans les domaines qui comptent, les États-Unis et le Canada remontent gaillardement cette pente, mais on en entend peu parler, car les experts sont braqués sur les mauvaises motrices.

La grande surprise, c'est que la nouvelle économie est réelle... et que l'avenir est beaucoup plus brillant qu'on ne le pense.

Aux États-Unis – une relance bien plus vigoureuse qu'on ne le croit

Mises en chantier médicales :
hausse de 19,1 % pour l'année en juillet 1992
(... 12,8 % en juin 1991)

Production pharmaceutique :
hausse de 10,2 % pour l'année en juin 1992
(... 9,6 % en mai 1991)

Production d'ordinateurs et de matériel de bureautique :
hausse de 14,1 % pour l'année en juillet 1992
(... 13,0 % en juin 1991)

Nouvelles commandes de matériel de communications et de télécommunications :
hausse de 32,6 % pour l'année en juillet 1992
(... 19,7 % en juin 1991)

Production électronique à la consommation :
hausse de 9,1 % pour l'année en juin 1992
(... 9,0 % en mai 1991)

Emplois à haute teneur intellectuelle :
hausse de 16,4 % pour l'année en août 1992
(... 1,8 % en juillet 1992)

Dépenses réelles en technologie :
hausse de 16,4 % pour l'année au deuxième semestre de 1992
(... 13,8 % pour le premier quart de 1992)

Balance excédentaire en haute technologie :
atteint à ce jour 2,9 milliards de dollars en 1992, l'un des plus importants exédents inscrits à ce jour.

CHAPITRE

5

Petit poisson deviendra grand…

LES BAROMÈTRES DE LA CROISSANCE

Depuis la fin de la Première Guerre mondiale, de grandes motrices industrielles propulsent l'économie américaine. Jusqu'à il y a quinze ans, l'une des motrices était l'industrie automobile et les pièces. Mais dans la nouvelle économie, cette motrice est remplacée par les ordinateurs et les semi-conducteurs. Les soins de santé supplantent la construction résidentielle ; les communications et les télécommunications prennent la place si longtemps occupée par les transports. De même, les machines-outils, facteur de poids dans l'ancienne économie, donnent la préséance à l'instrumentation, catégorie qui comprend parmi ses nombreuses composantes les appareils à contrôle numérique, la robotique, les dispositifs de contrôle de l'environnement et les instruments scientifiques.

Chacune des quatre nouvelles motrices a connu de bonnes comme de mauvaises années. Et on doit se résigner à constater qu'il y a des entreprises, si forte que soit leur croissance, absolument incapables d'assurer une gestion des plus élémentaires, et encore moins de rester à l'avant-garde d'une industrie dynamique en plein essor. Mais contrairement aux mastodontes de l'ancienne économie, au moins ces nouvelles motrices produisent des biens et services que les consommateurs réclament aujourd'hui et qu'ils veulent bien payer.

PREMIÈRE MOTRICE : ORDINATEURS ET SEMI-CONDUCTEURS

Voici dix-sept ans, le géant du logiciel, Microsoft, n'existait même pas à l'état de velléité dans l'esprit de son jeune fondateur. Il y a dix ans ses revenus annuels étaient bons mais guère éblouissants à 34 M $. Mais l'an dernier, ce chiffre avait atteint 1,8 milliards de dollars, et l'essor de l'entreprise est loin d'avoir pris fin. À 22 milliards de dollars, la valeur marchande de l'entreprise est supérieure à celle de la puissante General Motors, le colosse de l'ancienne économie. Alors que GM ferme des usines et licencie des milliers de travailleurs, le fabricant de logiciel augmente ses effectifs, déjà à dix mille, à raison d'une soixantaine d'employés par semaine. Non seulement Bill Gates est-il l'homme le plus riche des États-Unis, mais deux autres cadres supérieurs sont aussi milliardaires, plusieurs sont multimillionnaires, et deux milliers d'employés ont également accédé au rang des millionnaires. Belle revanche des fanas de l'ordinateur !

Ce ne sont pas tous les fabricants de logiciels qui ont connu le triomphe de Microsoft. Plusieurs ont déposé leur bilan et d'autres ont dû en rabattre moyennant licenciements et compressions, preuve – s'il en fut – que le fait de se trouver dans la bonne industrie au bon moment ne garantit aucunement le succès durable. Les temps difficiles déciment les nouvelles entreprises aussi bien que les vieilles, les petites aussi bien que les grandes. L'imposante IBM, à qui revient plus que sa part d'erreurs, écopa pour près de 3 milliards de dollars en 1991. Mais les résultats de mes recherches révèlent de façon on ne peut plus limpide que les logiciels et les autres composantes qui constituent le monde de l'ordinateur sont une motrice fulgurante qui met à l'ombre la ci-devant toute puissante industrie automobile.

Plus nombreux sont les Américains qui travaillent dans la fabrication des ordinateurs que dans celle de l'automobile. Et dans le domaine crucial du commerce mondial, cette motrice fait plus que sa part. Les ordinateurs comptent aujourd'hui pour un mirobolant 20 pour cent de tout le commerce américain hors de l'agriculture, soit un dollar sur cinq ou 26 milliards de dollars en 1991. Si on ajoute les 21,9 milliards de dollars qu'ont dégagés les ventes de logiciels dans les marchés étrangers, on parle gros chiffres, des montants suffisants pour que les Américains réfléchissent à deux fois avant de se plaindre des prétendus empêchements dont ils disent pâtir dans l'arène mondiale.

Ces chiffres sont à mettre en regard de ceux de l'industrie automobile. Les exportations américaines de véhicules et pièces tous confondus se chiffraient l'an dernier à 22 milliards de dollars, moins de la moitié du total des produits informatiques, et ce chiffre même est faussé du fait qu'il s'agit là d'un commerce « captif » entre les compagnies américaines et leurs filiales au Canada dans le cadre du pacte commercial entre les deux pays.

En fait, les États-Unis affichent un excédent respectable et grandissant dans sa balance commerciale d'ordinateurs et de logiciels d'exploitation. Nipponoclastes prendre note ! Qu'est-ce que ça peut faire si les Japonais ont l'avantage dans une industrie déclinante comme l'automobile ? Bien plus inquiétant s'ils s'avisaient de s'en prendre aux fabricants de logiciels et à d'autres compagnies américaines qui affichent une croissance spectaculaire.

Avec la majoration des coûts de l'énergie au cours des années 70, facteur-clé de la croissance de l'automobile et d'autres secteurs de l'ancienne économie de fabrication en série, il était inévitable que les motrices principales qui en dépendaient glissent en perte de vitesse. C'est un aspect normal et prévisible du vieillissement. Moins prévisibles étaient les industries qui allaient les remplacer comme motrices essentielles de l'économie. Mais pour peu qu'on y réfléchisse, l'ordinateur est logiquement l'étape suivante dans l'évolution des transports ; c'est le châssis qui véhicule des informations à la place des biens et des personnes. Davantage, l'ordinateur, muni du logiciel convenable et de relais de télécommunications, crée et traite ce qu'il transporte.

REMPLACER DU NOUVEAU PAR DU NEUF

La durée utile moyenne d'une voiture s'allonge de façon significative depuis dix ans et s'allongera sans doute davantage alors que les fabricants renchérissent à qui mieux mieux pour conserver leur part d'un marché qui rétrécit sans cesse ; et cela à coups de meilleures garanties et d'autres promesses de qualité auxquelles on n'aurait jamais songé pendant la belle époque des gros bazous V8.

Par contre, nous savons tous avec quelle rapidité l'ordinateur se transforme en rebut électronique. Mon ordinateur dernier cri était déjà démodé le jour où je l'ai acheté, alors que ma voiture est encore bonne pour quelques kilomètres. Et si on peut se contenter d'une seule voiture, il y a bien des chances que nous ayons plusieurs ordinateurs.

Vrai emblème de l'ancienne économie, l'industrie automobile s'estompe dans le passé. Pourtant, mois après mois, les journaux d'affaires sortent les dernières statistiques relatives à la production de voitures et de camions (tous les dix jours aux États-Unis où le monde, apparemment, bout d'impatience pour des renseignements désormais inutiles), comme si l'économie devait prospérer ou péricliter selon le nombre de pare-chocs issus des chaînes de montage. Rien n'est plus contraire à la réalité. Quand il s'agit de ce qui propulse l'économie, l'ordinateur importe, l'automobile point.

À partir du milieu du siècle dernier jusqu'à la fin de la Première Guerre mondiale, l'acier bon marché était l'élément-clé de la formule de croissance économique. Ensuite, ce fut le tour de la source énergétique bon marché d'agir comme propulseur de l'ère de la fabrication en série. Aujourd'hui, le monde tourne sur les micropuces pas chères. Pour me faire une idée de l'importance au quotidien de ces minuscules bouts de silicone, j'ai commencé chez moi à en dénombrer les fonctions ménagères.

Point de départ le plus indiqué : la cuisine. La première chose sur laquelle se pose mon regard non professionnel, c'est le four micro-ondes Panasonic. « Voilà qui est bon pour au moins une puce », me suis-je dit, « et le four encastré ne pourrait certainement s'allumer et s'éteindre sans « l'intelligence » fournie par une micropuce quelque part, bien qu'à chaque fois que les biscuits brûlent, je jurerais qu'il est possédé ! » C'est à ce moment-là que le chien a commencé à me regarder d'un air inquiet ; j'ai alors arrêté de parler à vive voix.

L'intercom au mur doit comporter au moins deux micropuces. Mais comme le sacré machin n'a pas été fichu de fonctionner dès le jour où on l'a acheté, il se peut que je me trompe.

Dans la salle de séjour, je repère le lecteur de disque laser, le système de son avec ampli, syntonisateur, magnétophone... Définitivement nouvel âge, le tout bourré de micropuces. Il suffit d'avoir fréquenté quelque temps un magasin d'appareils électroniques pour reconnaître les électro-gadgets munis de micropuces qui permettent d'écouter nos vieux microsillons, authentiques jusqu'aux grésillements !

Ensuite, c'est le tour de la salle familiale, noyau technologique de tout ménage. Deux thermostats électroniques contrôlent le chauffage. Donc deux puces à rajouter à ma liste, sans oublier celle qui règle l'éclairage.

L'aménagement de cette salle familiale a été prévu de façon à en faire un nid douillet pour la détente. Mais ce cocon de confort est en réalité un centre nerveux animé par les micropuces. Il y a un énorme appareil de télévision, un câble-convertisseur (pourquoi dans chaque maison faut-il trois télécommandes alors qu'il n'y a qu'une seule télévision), un vidéo, et le vieux système de son qui date de l'âge pléistocène de l'électronique, les années 70.

Jusqu'à présent, le dénombrement fait état chez nous d'un investissement majeur dans la nouvelle technologie, et je n'en suis encore qu'au rez-de-chaussée ! Mettons vite le système d'alarme et les deux ouvre-porte du garage... Ça n'en finit plus, et j'habite une maison que je considère normale. Il me semble que la cause est entendue : notre quotidien ne peut plus se passer de l'humble micropuce. Inutile donc de monter à l'étage faire le compte d'un assortiment de radioréveils (dont plusieurs si anciens qu'ils ont un cadran !) Je ne compte pas non plus le télécopieur et l'ordinateur dans le bureau de mon mari, ni les innombrables objets hétéroclites qui trouvent refuge sous notre toit.

Mais les téléphones ? Nous en avons un qui est branché sur ordinateur et nous permet d'utiliser des bases de données à l'extérieur. On peut magasiner chez Sears, faire des opérations de banque et feuilleter électroniquement les *Pages jaunes* pour la modique somme de neuf dollars par mois, et tout cela grâce à des micropuces pas chères.

DEUXIÈME MOTRICE : LES SOINS DE SANTÉ

Les mises en chantiers médicales montent en flèche tous les mois, une hausse de 10 % en termes réels par rapport à l'année précédente.

On me demande toujours ce qu'est une « mise en chantier médicale ». C'est une expression de mon cru qui signifie la construction d'hôpitaux de soins ordinaires et extraordinaires, de cliniques, de centres de soins pour malades externes, d'établissements pour les soins de malades chroniques, de maisons de convalescence et le reste. Elle comprend aussi les locaux commerciaux destinés uniquement aux médecins et leurs laboratoires de dépistage, mais elle ne comprend pas les résidences pour personnes âgées.

Les mises en chantier médicales provoquent des retombées économiques infiniment plus grandes que celles qui proviennent des mises en chantier résidentielles, considérées à tort comme un indicateur indispensable de la santé économique de nos jours. Les fabricants et les détaillants de l'ancienne économie se frottaient joyeusement les mains à la perspective du réfrigérateur de 1 000 $ et du lave-vaisselle de 500 $ qui seraient installés dans une maison neuve. Mais qu'est-ce que 1 500 $ en comparaison d'un CT scanner de 2 M $ pour chaque nouvel hôpital ou chaque nouvelle clinique de diagnostic ? Un jeune ménage pourrait bien y aller d'un nouveau mobilier de chambre, d'une moquette, de lits étagés pour les enfants, mais une telle extravagance pâlit à côté des commandes de dizaines de millions de dollars qui résultent de la construction d'un hôpital de trois cents lits.

Et s'il s'agit d'une de ces cliniques huppées de la Californie qui se spécialisent dans le lifting et autres prodiges de la chirurgie esthétique, on parle de centaines de milliers de dollars rien qu'en décoration intérieure rassurante et de bon goût (sans parler des sommes faramineuses consacrées aux eaux minérales et aux bains d'argile). À comparer aux 20 $ qu'un jeune nouveau propriétaire de maison pourrait payer une affiche de Van Gogh ou un portrait d'Elvis Presley pour agrémenter les murs de son living !

Le secteur des soins de santé dénombre des vingtaines d'industries qui sont, à titre autonome, grandes et dynamiques. Les seuls produits pharmaceutiques constituent une industrie qui génère 49 milliards de dollars par an aux États-Unis. (À titre de comparaison, l'ensemble de l'industrie américaine d'appareils ménagers vaut à peu près 17,4 milliards de dollars). Si on compte les produits chimiques utilisés dans le diagnostic, l'analyse de l'urine et du sang, les tests de grossesse, et dans les fluides injectés dans les veines à des fins de radiographie et d'autres opérations désagréables, on se trouve devant une industrie qui se chiffre à près de 60 milliards de dollars par an. Voilà qui est immense selon n'importe quel critère. L'industrie laitière américaine en entier vaut moins de 50 milliards de dollars. Les boissons gazeuses valent encore moins à 28 milliards de dollars. Et la motrice de cette énorme croissance, ce sont les mises en chantier médicales.

Pourtant, de tous les experts qui suivent de près l'économie, pas un seul n'accorde d'attention à ce phénomène vital. Les mises en chantier résidentielles et les ventes au détail demeurent les principaux indicateurs économiques, on les classifie et les étudie à satiété, tout comme les anciens augures scrutaient les os de poulet, et avec à peu près les mêmes résultats. Ne pas tenir compte d'une motrice majeure de l'économie, c'est comme vouloir étudier la circulation du sang sans tenir compte du cœur.

Même au Canada, où le système public de santé subit de fortes compressions en raison des coûts élevés, l'industrie des soins de santé est florissante. (C'est peut-être encore plus vrai pour le système américain de santé avec sa structure de libre entreprise et ses factures monstrueuses.) Comme dans toute industrie, d'État ou privée, remède doit être apporté aux carences du système, et il faut bannir les incompétents et les avides. Mais si on doit manier le bistouri du côté de l'offre, la demande publique de soins de santé n'en est aucunement diminuée.

Comme dans le puissant boom d'après-guerre dans la construction résidentielle, cette demande est gonflée par d'évidents changements démographiques. La population grisonnante n'a sans doute pas tellement besoin de maisons neuves, mais elle insiste pour recevoir des soins de santé de haute qualité. Et à mesure que la population vieillit, la demande ne peut en devenir que plus forte. Les gens se soignent mieux, ils vivent plus longtemps, ce qui signifie une utilisation plus intensive encore du système, certainement pas une moindre.

La façon dont l'industrie de la construction résidentielle évolua dans les années d'après-guerre fournit encore un étalon utile pour prévoir l'évolution de l'industrie des soins de santé. Quand la demande de logements se fit pressante, il a fallu surmonter des obstacles de taille à la construction en série. Pour que les maisons soient construites vite et à prix abordable, les métiers de la construction ont dû être regroupés par les entrepreneurs généraux.

De même, l'industrie de la santé se regroupe pour assurer la livraison beaucoup plus efficace des soins. Alors qu'il serait erroné de s'attendre à une nouvelle poussée des crédits affectés à l'offre de soins au Canada et dans d'autres pays où le coût du système échappe aux contraintes, il est certain que des fonds très importants seront consacrés à l'aspect diagnostic de l'industrie médicale. Pour survivre, les hôpitaux dans les grands centres devront se doter de matériel et de techniques des plus avancés, sinon ils risquent de se voir éclipser par des rivaux plus alertes et mieux équipés.

On verra également l'avènement de nouvelles techniques et de nouvelles percées, telle que la reproduction de gènes artificiels qui permettront d'accélérer la guérison et de résoudre les énigmes posées par certaines maladies aujourd'hui. C'est ce qui se produit déjà et des entreprises canadiennes se taillent leur part d'une affaire riche d'un potentiel de croissance insoupçonné. Pour n'en citer qu'un seul exemple : à Mississauga, en Ontario, une entreprise reproduit une protéine très apte à favoriser la régénération de la couche dermique à la suite de graves brûlures. Et chaque entreprise majeure de l'industrie s'occupe également à mettre au point de tels « produits miracles ».

TROISIÈME MOTRICE : COMMUNICATIONS ET TÉLÉCOMMUNICATIONS

Quand on évoque l'importance grandissante du secteur des services dans notre économie, on se trompe en voulant y situer la nouvelle économie. Vous, je ne sais pas, mais moi, il faut que je me retienne de sourire quand on fait rentrer dans la nouvelle économie ces salons de coiffure, ces franchises de beignes, ces banques, ces cordonneries... Les services sont nés avec le commerce même ; on ne peut guère les prendre globalement pour en faire notre avenir économique. Et pourtant, je me fais dire sans cesse qu'on ne sera bientôt plus qu'une économie de services, pleine d'emplois à bas salaire !

Bien voire ! Ce syndrome « McJérémiade » ne présage en rien la forme future de l'économie. D'abord, on trouve presque toujours les bas salaires dans les emplois non syndiqués, non spécialisés des usines de l'ancienne économie. Un gestionnaire de fonds d'investissement responsable de millions de dollars fait partie de l'économie de services. La comédienne Julia Roberts de même. Et quant à cela, qu'est-ce que le Président des États-Unis sinon un employé du secteur des services ? On ne risque jamais de confondre l'un quelconque de ces personnages avec les serveurs de McDonald ou les commis de magasin auxquels on pense lorsque la discussion tourne sur les emplois dans les services.

Quand il s'agit de services strictement destinés à la nouvelle économie, nous avons affaire à des géants, à des entreprises immenses de câblodistribution, de télécommunications, de divertissement. À titre d'exemple,

890 000 Américains travaillent dans l'industrie des services de télécommunications qui, soit dit en passant, a affiché des revenus de 175 milliards de dollars l'an dernier. Voilà en tout cas une jolie somme rondelette !

Côté fabrication, 390 000 travailleurs produisent pour la radio, la télévision, la diffusion et les communications une gamme de matériel qui comprend le plus complexe des satellites comme le plus rudimentaire des baladeurs. Encore 85 000 travailleurs fabriquent du matériel pour l'industrie téléphonique, celle-là vouée à une croissance certaine.

Le marché des téléphones sans fil atteindra sans peine les dizaines de milliards de dollars. Il n'est pas question ici de ces appareils déjà démodés qu'on pouvait trimbaler dans la maison sans se prendre les pieds dans les fils tentaculaires, ni des cellulaires coûteux qui sont devenus presque de rigueur dans les voitures et les serviettes. Le dernier-né de la technologie téléphonique est remarquablement léger et peu cher. Pas plus grand que l'une de mes trois télécommandes de TV, mais d'utilisation beaucoup moins compliquée, ce petit appareil à bascule rentre dans toute poche ordinaire.

Northern Telecom au Canada, ainsi que d'autres fabricants de matériel de télécommunications, doivent sûrement saliver à la perspective du potentiel d'un marché qui n'existait pas avant cette décennie. Mais n'est-il pas vrai que depuis quelques années nos moyens de transport ont subi des transformations dramatiques ? Qui, il y a trois ou quatre ans encore, aurait pu imaginer le télécopieur omniprésent, le courrier vocal ou le message électronique par ordinateur ?

Pour se faire une idée de ces transformations étourdissantes, imaginez donc ce que devait être la conduite des affaires quotidiennes il y a cent ans, ou si vous êtes féru d'histoire, il y a deux cents ans. Imaginez ce que signifiait l'envoi d'un paquet entre deux villes avant l'avènement des chemins de fer. Un voyage par voie de surface de trois cents kilomètres était une expédition majeure. Dans les années 50 encore, un colis mettait des semaines pour traverser l'Atlantique. Je me souviens encore du temps qu'il fallait pour faire parvenir un colis en Irlande. Pas de Poste prioritaire, je vous assure ! L'envoi d'argent présentait des problèmes bien particuliers, mais aujourd'hui le transfert de fonds vers l'autre bout du monde s'effectue en un rien de temps, tellement l'industrie des télécommunications révolutionne celle des transports.

Dans l'ancienne économie, les transports devaient véhiculer personnes et produits, ce qui en faisait une puissante motrice de la croissance. Les transports demeurent encore importants, mais la croissance vigoureuse aujourd'hui a lieu dans les industries qui véhiculent directement les idées, les informations et le savoir-faire. Nous sommes en plein dans l'ère des communications et des télécommunications qui nous propulsent à une telle vitesse que les motrices de l'ancienne économie en paraissent lentes et lourdes.

Tenez, il y a une annonce publicitaire à la télé qui illustre à souhait la nature de ces transformations. Harcelé, un directeur de ventes annule ses vacances – trop de réunions réclament sa présence. À l'aéroport, il rencontre un collègue qui vient de liquider son échéancier de réunions hebdomadaires, grâce à de multiples appels en conférence téléphonique, et il est sur le point de prendre l'avion pour aller en vacances avec sa famille.

Les sociétés ont installé des lignes téléphoniques sans frais pour soutenir la vente de leurs produits sur des milliers de kilomètres. Les p.-d.g. emploient couramment les appels en conférence téléphonique pour adresser la parole à tous leurs effectifs éparpillés dans différentes régions du globe. Les cellulaires poussent partout comme des champignons, nous assurant ainsi de rester en contact avec tous ces gens dont on ne veut plus jamais avoir de nouvelles. Hormis quelques auteurs de science-fiction et quelques scientifiques hardis, qui aurait cru il y a quelques petites années que de tels phénomènes deviendraient monnaie courante, comme d'ailleurs les diverses innovations techniques qu'on tient pour acquises dans la nouvelle économie ?

Le divertissement non plus n'est plus ce qu'il était, grâce à la technologie de la nouvelle économie. Autrefois, pour maintes petites villes, le grand événement de la saison, c'était l'arrivée du cirque avec sa panoplie de divertissements excitants et exotiques. Aujourd'hui, même dans les hameaux les plus reculés, les résidents ont accès à un choix époustouflant d'émissions à la télé diffusées par satellite sur des dizaines de canaux, ou si le cœur leur en dit, ils n'ont qu'à se rendre au magasin de vidéo-cassettes pour louer un film. Les compagnies qui fournissent de tels services ont un avenir sur lequel miser.

Un exemple entre tous pour montrer combien le monde du divertissement a changé : l'immense empire de Walt Disney. Avec ses Disneyland bourrés d'électronique, installés sur trois continents et attirant des millions de visiteurs, et sans parler de ses vastes opérations internationales de télévision, de film, de disque et de vidéo, Disney investit tous les endroits stratégiques du village global. Coïncidence si les géants japonais de l'électronique, Matsushita et Sony, s'empressent de s'emparer de bases solides à Hollywood ? Ils y cherchent les logiciels qui viendront étayer leur prééminence de longue date dans le domaine du matériel.

Des entreprises canadiennes de divertissement, telles que Alliance Entertainment et Nelvana, tâtent aussi le marché mondial. Alors qu'elles auraient pu autrefois se contenter de contrats modestes auprès de la télévision canadienne, ou d'être un petit fournisseur de Hollywood, elles furètent maintenant dans le monde entier à la recherche de coproducteurs pour vendre leurs programmes dans les dizaines de marchés créés par la croissance explosive de la télévision câblodiffusée par satellite.

LA QUATRIÈME MOTRICE : L'INSTRUMENTATION

Les machines-outils étaient la dynamo de l'ancienne économie. Tours, fraiseuses, meules, estampes, voilà qui permettait des économies d'échelle par la production de vastes quantités de pièces identiques pour une économie assise sur la fabrication en série.

L'instrumentation est une nouvelle motrice qui permet des « économies de diversification », qui permet de passer une commande de voiture faite sur mesure et de prendre livraison quelques semaines plus tard d'un véhicule qui répond exactement au cahier des charges, chose impossible sans le dessin et la fabrication assistés d'ordinateur qui sont un facteur-clé de la production dans l'économie nouvelle.

Le nouvelle technologie de fabrication a transformé tant les produits que la façon dont on s'en sert. Vous vous rappelez ces voitures pleines de cliquetis et de vibration, dont les portières fermaient mal, ces appareils de télévision, grille-pain, fers à repasser, fours et machines à laver qui tombaient en panne dès la garantie expirée ? Il en va toujours de même pour certaines marques, mais celles-ci seront sûrement écrasées par des concurrents dotés d'une instrumentation moderne pour réduire les coûts et éliminer les vices.

Le soudage à rayon électronique, procédé qui permet la fusion de métaux différents, tels le cuivre et l'acier, et dont la résultante est presque aussi forte que chacun des éléments pris seul, était autrefois si coûteux qu'il servait seulement à faire les pales de turbine d'un réacté. Cette méthode est désormais tellement automatisée qu'on débite en série des pièces d'automobile avec une rapidité et une précision jamais atteintes auparavant. Qu'est-ce que cela signifie pour nous ? Outre la durée utile plus longue et le fonctionnement plus efficace, les voitures fabriquées avec de telles pièces offrent une performance aussi stable à haute vitesse qu'à une allure de tortue dans les embouteillages.

Beaucoup de ces innovations résultent de la course à l'espace des années 60 et 70. Il est, en effet, assez difficile de faire venir de l'atelier du coin une pièce de haute précision quand on est en orbite autour de la lune.

Quiconque s'imagine encore que l'instrumentation n'est qu'une activité secondaire ferait bien de jeter un coup d'œil sur les chiffres. Les machines-outils sont aujourd'hui une affaire de 4,2 milliards de dollars. Voilà qui vient à peine à la cheville de l'instrumentation, qui dépassait l'an dernier les 40 milliards de dollars. Les composantes les plus élémentaires de la nouvelle motrice, c'est-à-dire les dispositifs de contrôle industriel, valent plus de 23 milliards de dollars. L'an dernier, des entreprises ont vendu pour plus de 10 milliards de dollars d'instruments chirurgicaux.

Les journalistes d'affaires n'en persistent pas moins à s'accrocher aux commandes de machines-outils comme s'il y allait de la survie ou non de l'économie. Les craquelins et les biscuits sont une affaire de 7,1 milliards de dollars – deux fois plus importante que les machines-outils – mais quand est-ce que votre journal a titré en manchette une baisse des commandes de biscuits ? Les journalistes, avec raison, estiment que le destin du pays n'est pas en jeu parce l'industrie des craquelins et des biscuits est peut-être en train de s'émietter. Pourquoi n'en font-ils pas autant pour les machines-outils ? Voici ce qu'en dit le Department of Commerce des États-Unis : « En 1991, les livraisons effectuées par l'ensemble de l'industrie des machines-outils étaient inférieures à celles de la plupart des 100 premières compagnies de *Fortune* prises chacune à part. »

Les machines-outils demeurent indispensables. Mais elles n'auront plus jamais la force économique d'autrefois. Il suffit de faire le tour de n'importe quelle usine moderne pour s'en rendre vite compte. La première chose que l'on constate en franchissant la porte, c'est l'automation poussée au nième degré ; c'est ce qui distingue la nouvelle usine de l'ancienne, les heureux des laissés pour compte. Les entreprises de l'ancienne économie n'ont eu d'autre choix que de s'adapter aux nouvelles technologies. Rien de tel que le naufrage imminent pour dégourdir l'équipage.

Une aciérie en Belgique, comme bien d'autres à travers le monde, prouve que les vieilles industries peuvent se réadapter grâce à la technologie et survivre dans la nouvelle économie. L'opération de l'aciérie est assurée par un seul homme devant une console munie de commandes dans une cabine climatisée. À la vérité, ce sont des ordinateurs qui assurent l'opération. Lui ne fait que surveiller en buvant son café crème.

L'un des procédés, le changement de train de laminoir, concerne des trains de laminoir pesant chacun de 5 000 à 6 000 kilos. Ce procédé exigeait le concours de dix travailleurs et un pont roulant à voie aérienne. Les trains devaient être changés une ou deux fois au cours d'un quart de huit heures, et la manœuvre prenait de une à deux heures, ce qui grugeait presque la moitié du temps de travail. Les Belges ont fait installer un changeur de train automatique informatisé et le procédé n'exige plus que quelques effectifs, deux boutons et quinze minutes. Pour rester concurrentiels, d'autres fabricants d'acier ont adopté la même technologie.

Au fur et à mesure que la main-d'œuvre à bas prix est de moins en moins un facteur de la fabrication, les usines occidentales peuvent exploiter l'instrumentation pour reprendre ou augmenter leur avantage concurrentiel, surtout dans les industries exigeant des instruments perfectionnés : robotique, contrôles informatisés, technologie laser et ainsi de suite. De même, la demande grandissante de matériel de contrôle environnemental en matière d'émissions gazeuses, d'assainissement des eaux et de la couche d'ozone, offre une belle occasion de croissance. Ceux qui sont en mesure de quantifier les déchets et d'en mesurer les dangers sont en passe de devenir des joueurs économiques majeurs.

Quand j'étais jeune, le respect de l'environnement consistait à ne pas jeter les papiers gras de McDonald sur le gazon ou à ne pas balancer un mégot en conduisant dans un parc national. L'environnement ne semblait guère offrir un terrain prometteur pour une industrie à haute technologie dotée d'un appétit insatiable d'instruments de mesure de la plus grande complexité.

C'est cela, le changement. Les entreprises alertes savent s'en accommoder, mais trop nombreuses sont les autres qui n'écoutent pas cette maxime : rien ne dure éternellement.

CHAPITRE

6

Les arbres ne poussent pas jusqu'au ciel

Pour chaque industrie qui a pu passer d'un cercle au suivant, il y en a une autre qui manque son coup en faisant le saut ou qui y arrive à peine, s'efforçant de prendre pied sur le plan financier avant de glisser inexorablement dans le trou noir de l'oubli. Mais les signes du désastre imminent ne manquent pas, si on sait où les chercher.

Par exemple, Ross Perot, qui a fait fortune dans le traitement de données dans les secteurs public et privé, savait où chercher après que la vente de sa création, Electronic Data Systems, l'ait amené dans l'orbite de General Motors. Le géant de l'automobile acheta l'entreprise multimilliardaire en 1984 dans le cadre d'une tentative visant à assurer le passage de GM de l'ancienne économie à la nouvelle et à éviter ainsi la relégation permanente aux limbes d'un cercle économique dépassé. Le but était de s'associer à une entreprise dynamique axée sur la technologie et apte à insuffler une nouvelle énergie à la culture ancienne économie de GM et à guider ses premiers pas chancelants dans la nouvelle.

Il a peut-être fallu cinq secondes à Ross Perot pour se rendre compte qu'il s'était magistralement trompé. On voit mal un pareil non-conformiste, au franc-parler si brutal, s'accommoder d'une entreprise conçue par d'autres, pour souple que soit celle-ci. Mais il avait le droit de supposer que des gens confrontés au désastre accepteraient d'écouter un non-conformiste qui avait de brillants états de service dans une partie de l'économie à laquelle ces gens ne comprenaient rien. Mais non, ses idées, comme ses observations critiques, ont été balayées comme autant de saletés sur un pare-brise. Les efforts de Perot pour réveiller le fabricant de voitures de sa torpeur ne lui ont valu que de se faire traiter de fou. Qu'il soit fou ou pas, rien n'est plus facile que de s'en prendre au messager porteur de vérités désagréables qu'on ne veut pas entendre. De s'en prendre à la déloyauté de Japonais, aux politiques de l'État, aux goûts volages du public consommateur. Il n'est que trop humain de blâmer tout et tous sauf l'image que vous renvoie votre miroir.

Tel un héros de cinéma musclé, mais suranné, grand nombre d'entreprises autrefois herculéennes ont pris de la graisse, tandis que des concurrents plus alertes, plus coriaces s'emparent des beaux rôles. Au lieu de dévoiler des produits neufs et des innovations excitantes, IBM fait la manchette en raison de son agitation interne et des problèmes de morale. GM est la cible des plaisanteries par suite de remaniements désespérés au sein de la direction, tandis que Citicorp, jadis l'emblème de la puissance bancaire dans le monde, se met les pieds dans les plats. Toutes ont perdu des sommes importantes et, pourtant, elles ne sont pas capables de savoir pourquoi. Ce n'est que maintenant que les cadres de ces entreprises en viennent à reconnaître une vérité absolue : les arbres ne poussent pas jusqu'au ciel.

Si peu agréable que soit cette vérité, il faut admettre que rien n'est éternel, et cela vaut même pour les meilleurs et les plus fins. IBM, GM, Citicorp, American Express, Philips et tant d'autres sont tombées dans le piège. Ces entreprises ont beau vouloir, elles ont découvert qu'il est impossible d'obliger les consommateurs d'acheter leur produits par la seule renommée de leurs marques célèbres. Nombreux sont les monuments funèbres d'entreprises mortes à la suite d'une longue agonie parce qu'elles n'avaient pas su faire le même saut que leurs clients.

Les entreprises, les industries, des économies entières, qui refusent de prendre les virages qui s'imposent sont condamnées. Un point, c'est tout. Elles peuvent, tant qu'elles veulent, changer de cadres, sabrer les dépenses, accoucher de déclarations tonitruantes sur leur engagement face à l'avenir mais, à moins de trouver le moyen de fabriquer et de vendre des produits réclamés par le consommateur, tous leurs efforts n'arriveront pas à freiner leur lente descente vers l'abîme.

ON SAIT QU'ON EST DANS L'ANCIENNE ÉCONOMIE QUAND...

Quiconque a dû subir une entrevue pour un poste connaît ce malaise vague mais puissant qui s'installe avec le sentiment que tout ne tourne pas rond dans l'entreprise qui embauche. Cela tient à quoi ? Aux produits, aux responsables, aux questions posées, à l'allure générale des locaux ? Toujours est-il qu'une petite voix intime vous souffle : « Sors de là... et vite, avant qu'il ne soit trop tard ! »

Comme on n'a pas tous les moyens de Ross Perot, on est porté à ne pas tenir compte des avertissements que nous lance l'intuition. Et c'est l'erreur de toute une vie de travail. Choisir de travailler pour un employeur œuvrant dans l'ancienne économie, autant louer un grand panneau publicitaire pour proclamer devant le monde entier qu'on renonce à toute perspective de carrière comme à toute bonne perspective financière. Pis encore, on a de fortes chances de se retrouver sur le pavé avant même d'avoir eu le temps de remettre son curriculum vitae à jour.

D'après mes recherches, si vous travaillez dans l'ancienne économie, vous avez plus de 50 % de chances de voir disparaître votre emploi, peu importe le nombre d'années de labeur loyal. Ce que les administrations et les économistes se plaisent à appeler « compression » n'a rien de théorique. Sur le plan personnel, ce phénomène entraîne la peur, l'angoisse et la douleur. Pour des millions de gens qui doivent se démener d'un emploi à l'autre toujours dans une vieille économie qui récompense les meilleurs efforts avec un avis de licenciement, l'estime de soi en prend un coup terrible.

Il m'est arrivé de participer à une réunion publique qui avait pour motif la conjoncture économique. L'un des participants était un jeune homme avenant dans la petite trentaine, type assez sérieux qui avait dû changer d'emploi trois fois dans les six dernières années. Dans ses yeux clairs et intelligents passaient des lueurs d'angoisse, d'impuissance et de défaite, et sa voix faisait écho à son désespoir.

Le malheureux avait débuté dans une aciérie située dans sa ville natale, celle justement où son père et son grand-père avaient travaillé toute leur vie. Naïf sans doute, il avait cru pouvoir jouir de la même sécurité. Il épousa son amie de cœur et projetèrent ensemble de fonder une famille et d'acheter une maison.

C'est vers cette époque qu'il reçut l'avis de licenciement. « J'ai compris tout de suite. Je n'avais pas d'ancienneté. Aucune chance d'être rappelé. »

Fort de l'optimisme propre à la jeunesse, le nouveau chômeur de l'acier s'est dûment inscrit à un programme de formation parrainé par l'État et dont il est sorti opérateur de machines-outils. Malgré la clameur soulevée par la pénurie constante d'ouvriers spécialisés, il n'arrivait pas à se placer. « On m'avait formé pour un emploi à 22 $ de l'heure qui n'existait même pas », a-t-il dit tristement. Enfin, il a trouvé un emploi chichement rémunéré de manœuvre d'usine, l'a perdu à nouveau, et est retourné encore une fois à la formation. Il a trouvé un autre emploi – toujours à l'échelon inférieur de l'ancienne économie – qu'il a perdu au bout de dix-huit mois seulement.

De même que des milliers de semblables qui battent le pavé des tristes rues de l'Amérique du Nord et de l'Europe, le jeune homme désillusionné ne travaille plus de façon régulière. Lorsqu'il envisage l'avenir, il ne voit plus de petite maison proprette avec des enfants joyeux dans un paysage rieur de banlieue. Et son cœur ne chante pas. Après avoir suivi à la lettre les conseils bien intentionnés mais parfaitement inutiles de politiciens et d'intervenants du milieu, il se trouve devant la perspective peu réjouissante de stages permanents de formation pour des emplois qui n'existent plus – ou qui n'en ont pas pour longtemps – parce qu'ils sont liés à une économie qui stagne ou qui meurt.

L'ancienne économie est une fosse sombre dans laquelle des millions de gens perdent les meilleures années de leur vie active. Le coût exorbitant de tant de potentiel gaspillé est à faire pleurer, d'autant que ce gaspillage n'est pas nécessaire.

Il y a bien des indices qui nous disent quelles entreprises – voire des industries entières – ne font que du surplace, lesquelles vont couler, lesquelles sont de vieilles boîtes décrépites sur le point de rendre l'âme, et lesquelles ne sont que des survivantes velléitaires. La clé, c'est de ne jamais se fier au résultat net ni aux déclarations publiques d'une entreprise. Fiez-vous plutôt à votre instinct, à ce que le bon sens vous dit. Alors, vous pouvez m'en croire, vous saurez si vous êtes entré dans le pays de l'ancienne économie.

D'après mes propres observations, on se trouve sans erreur possible dans la Vallée de la Mort du marché du travail quand :

- Le stationnement est presque vide. Soit que plus personne n'y travaille, soit que les employés ne sont plus en mesure de se payer une auto.
- L'usine est vide, le plancher est en bois ou en terre battue. Vous croyez que je plaisante ! La terre battue était normale dans l'industrie lourde pour soutenir la masse pesante du vieux matériel.
- On ne voit pas de travailleur de moins de quarante-cinq ans et les postulants à la retraite anticipée sont tellement nombreux qu'il y a une liste d'attente.
- Le décor est dominé par le vert avocat et l'orange, parce que la dernière fois que le budget permettait de refaire la peinture il y a vingt ans, ces couleurs-là étaient très à la mode. Cette observation tient également pour les bureaux en métal, le linoléum par terre dans les bureaux de l'administration, et les vieux classeurs en acier à cinq tiroirs. Si ceux-ci sont en bois ou si l'entreprise garde ses archives dans des cartons, alors là, la situation est extrêmement grave.
- Il y a foison de cadres, à tel point que les vice-présidents sont plus nombreux que les contremaîtres.
- On n'y parle que du passé, jamais de l'avenir. Si l'interviewer se met à évoquer le bon vieux temps où les locaux grouillaient d'activité pendant vingt-quatre heures, il est temps de tirer sa révérence et de déguerpir au plus vite. S'il y a une plaque commémorative apposée à l'extérieur du bâtiment, ce n'est même pas la peine d'y mettre les pieds, à moins qu'on ne soit à la recherche d'un poste très temporaire. La baraque est déjà désignée comme monument historique.

- On demande quelles mesures sont prévues contre les virus et on vous envoie à l'infirmière plutôt qu'au responsable du système informatique.
- La direction fait savoir : « Ça, on l'a déjà essayé, puis ça n'a pas marché ».
- Le chef syndical est bien plus avisé et expérimenté que le président de l'entreprise.
- Le babillard fleurit d'avis de recyclage, de retraite, de restructuration, de rationalisation, de réaffectation. (Comment se fait-il que tant de mots qui commencent en r laissent présager la mort d'une entreprise ?) On cherche plutôt des babillards qui annoncent l'embauche de nouveaux effectifs, les promotions et les fêtes pour célébrer la croissance.
- Le « juste-à-temps » signifie quitter les lieux avant que le contremaître s'en aperçoive.
- Les œuvres qui agrémentent les murs consistent exclusivement en grands tableaux du fondateur et de ses successeurs intimidants, habillés de leur complet trois-pièces, une montre à la main comme s'ils chronométraient encore la pause-déjeuner des ouvriers. Mieux vaut un portrait du fondateur en blue-jeans, ou mieux encore, pas de portrait du tout, parce que le président est bien trop occupé pour prendre le temps de poser.
- L'entreprise date de plus de vingt ans et le fondateur la dirige toujours d'une main de fer.
- Le matériel est plus vieux que les travailleurs qui s'en servent. Se méfier surtout des antiques machines à écrire qui servent encore à côté d'ordinateurs qui ne sont même pas déballés. De même, en ce qui concerne les nouveaux équipements de l'usine. S'ils ne sont pas encore déballés, l'entreprise ne prétend même plus faire face à la concurrence.

- Au moins les trois quarts de la main-d'œuvre sont des hommes. Voilà qui peut sembler bizarre comme indice. Mais la réalité, c'est que dans la nouvelle économie, celle qui offre tout le potentiel de croissance, les hauts salaires et la sécurité, ce sont les femmes qui comptent pour 48,4 pour cent des emplois à forte capacité intellectuelle (professions libérales, gestion, science, techniques), un pourcentage tout de même supérieur à leur part de 45,9 pour cent de la main-d'œuvre totale.

- Les experts persistent à décrire les femmes comme enfermées dans un ghetto d'emplois fragiles – ce qui est vrai pour l'ancienne économie – mais le taux de chômage des travailleurs intellectuels est inférieur à trois pour cent. Dans l'ancienne économie, où les niveaux de chômage sont à 20 pour cent et davantage, les hommes sont plus nombreux que les femmes à raison de quatre contre une. Proportion sans doute éminemment favorable dans un *cruising bar* mais, sur le lieu de travail, c'est signe qu'il serait prudent de chercher du travail ailleurs.

- Le salaire est vraiment bas. Voilà qui semble l'évidence même, mais il faut considérer que le salaire hebdomadaire moyen des ouvriers aux États-Unis était de 351 $ en 1991, tandis que les techniciens œuvrant dans la nouvelle économie gagnaient 500 $. Le travailleur moyen à plein temps dans l'industrie du textile, et il n'y a pas plus vieux dans l'ancienne économie, gagne 233 $. Au sommet de l'échelle se trouve le dévideur de bobines qui gagne 298 $ par semaine. C'est à peu près la paie d'un moniteur de piscine ou d'un instructeur de danse aérobique travaillant pour le service des loisirs d'une municipalité. Même les travailleurs religieux (prêtres, pasteurs, rabbins et ainsi de suite, vraisemblablement convertis à l'idée d'une vie sans grandes récompenses pécuniaires), sont mieux rémunérés que le travailleur moyen du textile ou de la construction.

LA FROIDE RÉALITÉ

Remarquez bien, cela pourrait être pire, vous pourriez travailler pour une entreprise comme celle qu'a étudiée de près un ami que je vais appeler Georges, analyste international de l'acier, et qui suit depuis des années cette industrie en déclin. Il a visité des complexes sidérurgiques un peu partout dans le monde, et nul mieux que lui n'est prompt à repérer les cas désespérés. D'après son expérience, il n'en a jamais vu de plus désespéré qu'une certaine entreprise se trouvant en Amérique du Nord.

Cette entreprise bat de l'aile depuis des années, vivotant tant bien que mal des subventions de l'État, sans doute dans l'espoir de voir revenir, d'un instant à l'autre, les années 1880. Georges me dit que l'État et les travailleurs trouveraient mieux leur compte si les subventions allaient directement dans les poches de ces derniers, et qu'on ne pense plus à faire de l'acier.

« Je me suis rendu à une forge. C'était clair qu'elle n'avait pas d'avenir. On pouvait le voir dès qu'on entrait dans le stationnement. Il n'y avait pas de voitures dans les espaces réservés aux visiteurs et c'était un jour ouvrable ordinaire. »

Il se présente au poste de contrôle pour prendre le laissez-passer, le casque et les lunettes de sécurité réglementaires. « Il n'y avait que trois casques parce qu'on n'attendait pas de visiteurs, vous savez, des gens qui vendent du matériel, des ingénieurs venus d'autres usines. » Normalement, il y a des caisses pleines d'équipement protecteur.

« Je roule vers le centre du complexe. Pas un chat. On aurait dit une de ces villes fantômes qu'on voit dans les vieux films. » Georges voyait partout des signes annonciateurs de problèmes. « La peinture s'écaillait partout, impossible de distinguer la peinture de la rouille. Jamais question de réparer quoi que ce soit. De grands trous dans les murs, mais quoi, il n'y avait rien à voler. Rien que du matériel pesant des tonnes, et inutile pardessus le marché. »

Du matériel neuf, encore dans les caisses d'origine cinq ans après sa livraison, jonchait la cour de l'usine encrassée. Une bonne affaire sans doute pour les fournisseurs d'emballage, ou pour les marchands de machinerie usagée, mais qui en disait long sur l'absence de foi dans l'avenir de l'entreprise. Avant de pouvoir s'asseoir, Georges a dû attendre qu'un responsable mette un bout de sac sur la chaise pleine de graisse.

Il dit n'avoir vu que deux employés âgés de moins de quarante ans. Peut-être y en avait-il d'autres, mais tous avaient l'air et le comportement de gens âgés à cause du stress occasionné par les longues journées passées à travailler pour une entreprise sans avenir réel.

« Tous les jeunes talents de la relève étaient partis. Qu'est-ce qui restait ? Des ingénieurs qui travaillaient avec du matériel vieux de trente ans, je n'en croyais pas mes yeux. Il existe une nouvelle technologie qui réduirait les coûts de peut-être 40 ou 50 pour cent. On me dit qu'elle serait trop risquée. Et si le nouveau matériel ne faisait pas l'affaire ? Qu'est-ce qu'on ferait alors ? Vous trouvez ça croyable, vous ? Les voilà en train de glisser vers l'abîme et ils ne veulent pas changer leurs façons de faire. Autant vouloir faire voler un avion avec des élastiques. J'aurais voulu jeter ma serviette par la fenêtre. »

PHASES DU CYCLE INDUSTRIEL

Georges sait, d'après son expérience, que cette entreprise sidérurgique n'essaie même pas d'assurer sa transition vers le cercle suivant. Ainsi qu'un vieux malade en phase terminale, elle ne fait qu'attendre la fin tristement inévitable. Le malheur, c'est que beaucoup de travailleurs actifs et diligents seront entraînés avec elle. Il y a des entreprises aussi mal en point qui ont la volonté de se relever. À force de travail et avec un financement adéquat et un peu de chance, elles parviennent à se remettre en selle et à reprendre le chemin de la croissance.

Toute industrie, comme chacune des entreprises qui la compose, accomplit un cycle d'expansion et d'inévitable déclin, et toujours selon cinq phases que j'identifie comme suit : croissance, inflation, désinflation, déflation et le fin fond, ou, comme on dit dans le jargon des économistes, le « creux ».

La croissance : C'est l'âge d'or où le marché n'assouvit pas son appétit des produits de l'entreprise et les ventes montent en flèche. Les produits pharmaceutiques, les logiciels, et les produits écolos en sont actuellement à cette heureuse phase. On peut se permettre de baisser les prix quand les commandes affluent.

L'inflation : La production augmente encore mais à un taux bien moindre. Dans l'intervalle, les entreprises euphoriques s'enivrent davantage en constatant que la demande apparemment intarissable et l'absence de toute concurrence effective leur permettent de fixer les prix comme bon leur semble. Elles maintiennent au même taux allègre l'augmentation de la valeur des ventes par une simple majoration de prix chaque fois qu'elles ont besoin de revenus supplémentaires.

C'est à cette phase-ci que le planificateur de la société se saisit d'une règle et trace une ligne verticale sur le graphique, comme si la demande ne devait jamais plafonner, comme si les prix pouvaient être majorés indéfiniment, comme si la route était pavée d'éternels succès. Et la direction de se croire infaillible. Elle laisse courir l'expansion en s'imaginant avoir trouvé la formule des bénéfices perpétuels.

La désinflation : En apparence tout va bien, mais sous les braves paroles des grands manitous de l'industrie

« ...Les arbres ne poussent pas jusqu'au ciel »

PHASE DU CYCLE INDUSTRIEL				
Croissance	Inflation	Désinflation	Déflation	Creux
Forte demande	Montée des prix plus forte que le volume	Montée ralentie des prix ; Baisse de volume	Chute des prix et du volume	Prix stables ; lente croissance
Matériel médical Ordinateurs	Services personnels	Gouvernement fédéral	Services financiers Autos Pétrole et	gaz naturel Mines

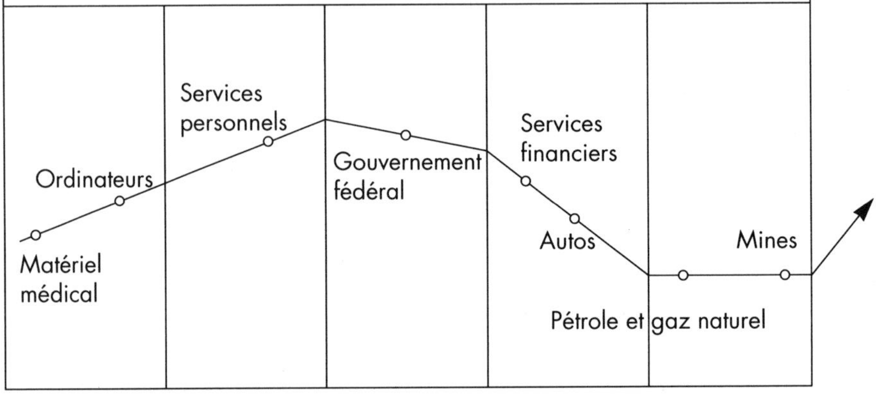

Les points indiquent où en est aujourd'hui chaque secteur.

gronde la peur. Ils découvrent, avec un choc horrible, que dans la vie réelle rien ne croît indéfiniment. La surcapacité résultant des phases d'expansion les expose au vent froid de la concurrence. Les prix continuent de monter, mais pas comme avant, et ils montent beaucoup trop lentement pour absorber tous les coûts additionnels découlant de toutes ces usines surgies pendant les années de gloire. Les marges bénéficiaires s'amincissent à vue d'œil.

Un bon indice pour révéler le moment où une entreprise ou une industrie se trouve dans cette passe douloureuse, c'est lorsque les grands manitous se mettent à parler de « compression », comme dans « Ce qu'il faut, ce sont des compressions qui nous permettront de faire face à la concurrence qui nous rafle une part grandissante de notre marché ». Traduction : « Peut-être qu'avec des mises à pied massives et l'arrêt de certaines extravagances, comme de tenir des réunions de vendeurs dans des endroits exotiques, les actionnaires seront satisfaits de notre performance. »

Cette phase est difficile pour la meilleure des directions. Mais c'est une phase qui ne fait que préparer la scène pour les horreurs à venir.

La déflation : À ce stade-ci, les entreprises ne songent plus aux compressions. Les ventes et les prix sont en chute libre sous la pression d'une concurrence plus dure, plus alerte, aux coûts moindres et en plein rattrapage. C'est la foire d'empoigne. On n'a qu'à demander à Lee Iacocca de Chrysler si c'est stressant d'être aux commandes d'une entreprise qui traverse cette phase, la plus pénible de tout le cycle. Bien sûr, la traversée serait moins désolante si, pendant les années de vache grasse, les entreprises avaient su entendre le bruit en sourdine des scies mécaniques s'apprêtant à prouver que les arbres ne poussent pas jusqu'au ciel.

Après avoir contemplé plusieurs méthodes de suicide rituel, l'entreprise typique choisit immanquablement de mettre ses vieilles usines en veilleuse, de réduire ses effectifs de cinquante pour cent, de vendre les fleurons de la couronne, tout en réclamant à pleins poumons la protection ou le sauvetage par les soins d'un chevalier blanc.

C'est l'une des caractéristiques cocasses de cette phase que de voir des ennemis mortels échanger des vœux d'amour éternel. À témoin, les fusions de Chemical Bank avec Manufacturers Hanover et de BankAmerica avec Security Pacific. Acculés au désespoir, les conseils d'administration s'imaginent que deux fois plus de ventes à moitié moins de coûts sont une garantie de croissance. Mais ils ne font que reporter le jour du jugement dernier.

Le creux : À ne pas confondre avec le creux de la main allongée pour quémander des subventions de l'État. « Faites-nous vivre à n'importe quel prix », implorent-elles, sinon vous allez vous retrouver avec des voteurs au chômage. »

Se trouvent dans le creux en ce moment des industries telles que celle du pétrole et du gaz naturel, mais elles ne risquent pas d'être longtemps seules, car d'autres étoiles mourantes (salut, les banques !) iront bientôt les rejoindre. Pendant cette phase, la vie continue, comme pour un accidenté en état de choc qui est trop engourdi pour entreprendre quoi que ce soit. Les entreprises qui viennent à bout de cette épreuve en sortent meurtries, pour ne pas dire refinancées, rationalisées et réorganisées (voilà de nouveau ces mots cruels qui commencent en r) mais prêtes à surfer sur la vague suivante de croissance.

LE PARCOURS DE SEPT ANS

On peut régler sa montre d'après les réactions prévisibles des cadres devant les étapes successives de leur descente aux enfers. Après avoir suivi la croissance et le dégonflage subséquent de plusieurs centaines d'industries, j'ai pu constater que le déclin se consomme typiquement au bout de sept ans. Voilà une durée à caractère très biblique ; ils sont nombreux les fiers puissants qui se mettent à douter de l'existence de Dieu en voyant s'effondrer les remparts de leur empire aux sons de la trompette de la nouvelle économie.

La première année qui suit celle où l'entreprise vient de plafonner, le président annonce sans faute qu'il ne s'agit là que d'une anicroche passagère, ajoutant d'une mine courageuse : « L'industrie avait besoin d'un petit temps d'arrêt pour faire le point. Elle n'arrivait pas à répondre à la demande. Nous sommes heureux de ce répit qui nous permet de reprendre notre souffle. »

On voudra bien le croire sur parole si on croit encore aux contes de fée. N'est-ce pas que toute entreprise rêve de crier halte à toutes ces ventes et à tous ces bénéfices qu'on ne parvient plus à endiguer ?

L'An II du déclin, le ton change. Le président fulmine contre la maudite récession, le terrible fardeau fiscal et la brutalité de la concurrence. Mais tout comme un chef de gouvernement faisant face à une mauvaise conjoncture économique comme à un électorat apeuré, notre vaillant président tient à rassurer les administrateurs et les actionnaires en disant qu'on verra poindre la lueur au bout du tunnel, vraisemblablement pendant la deuxième moitié de l'année.

Arrive l'An III, et la lueur au bout du tunnel n'était autre que le fanal d'un train roulant en sens inverse. Le président de l'entreprise naufragée profère maintenant des propos incohérents, histoire de conspiration internationale ayant pour but la destruction de l'entreprise. Le regard vitreux, les articulations blanchies à force de s'agripper à la table du conseil, il maudit ses ennemis réels et imaginaires.

La banque centrale – il en est persuadé – cherche sa perte à lui en maintenant des taux d'intérêts élevés sur les emprunts qu'il a contractés, exigeant le loyer fort de tout cet argent emprunté pour arroser l'arbre qui devait pousser jusqu'au ciel. Les hommes politiques complotent pour garder le taux de change élevé et diminuer les barrières à l'importation. Et n'oublions pas ces Japonais. Il faut toujours s'en prendre à ces traîtres nippons. Les travailleurs trouvent ça plausible, ça fait un bon *show* médiatique, et surtout ça aide à tenir les actionnaires à distance quelque temps encore.

Il m'est arrivé naguère d'assister à l'assemblée générale annuelle d'une grande entreprise de ressources naturelles. Le chef de la direction y allait d'un de ces discours passionnés qui sont la marque indubitable de cette étape du déclin. Tout – et je dis bien tout – menaçait ce courageux visionnaire et son entreprise. Les possibilités étaient nulles, rien que des coûts, et encore des coûts, et il fallait que ça cesse. Il cognait tellement sur l'État qu'il n'avait même pas le temps d'écouter des propositions positives qui auraient pu aider.

Procédé insidieux que cette habitude de s'en prendre à tout et à tous sauf à soi-même. Au lieu de prévoir la récupération de leur part de marché en essayant de nouvelles tactiques de marketing ou, mieux encore, en introduisant des produits novateurs, trop d'entreprises se contentent de tempêter contre les forces externes qui seraient en train de les ruiner. Ce à quoi elles sont confrontées en réalité, c'est le changement, mais elles s'obstinent, même à ce stade-ci, à ne pas vouloir y réagir. Pour certaines entreprises, l'innovation est une expérience néfaste à ne pas tenter, et « la nouveauté » est impossible à envisager !

Dans une autre assemblée générale annuelle, cette fois-ci d'une grande compagnie d'assurances, je me souviens que le chef de la direction a consacré plus de la moitié de son discours à parler de la gestion incompétente du déficit de l'État, après quoi il s'est empressé d'annoncer une majoration des dividendes de l'entreprise malgré des pertes récentes. Attitude typique qui peut se résumer : si on ferme les yeux à tout ce qui se passe autour de nous, tout rentrera dans l'ordre.

La plupart des chefs de direction savent au fond que la compagnie doit avant tout être sauvée d'elle-même. Pourtant ils exigent de savoir quand on – n'importe qui – va faire quelque chose. Quand les temps sont prospères, les mêmes chefs de direction vous entretiennent pendant des heures des gloires du marché libre ; mais voilà qu'ils n'ont plus rien à dire dès lors que ce marché libre menace d'enfoncer leur entreprise. Le médecin doit se tenir prêt lors de l'assemblée pour contrôler la pression sanguine du chef de direction. Amis et parents lui recommandent de longues vacances dans une ambiance plus calme, disons Belfast ou Beyrouth.

Ce n'est qu'en l'An IV que le comité de direction commence enfin à se douter que le marché a peut-être subi une transformation structurelle. Mais cela prend du temps pour bien comprendre en quoi il se transforme et comment l'activité de l'entreprise en est touchée. À l'instar des malades à qui on vient d'apprendre qu'ils sont frappés d'une grave maladie, les décideurs tournent les yeux vers le ciel et lancent un cri plaintif. « Pourquoi moi, mon Dieu ? J'étais sur le terrain de golf à m'occuper de mes affaires. Qu'ai-je donc fait pour mériter cela ? »

L'An V, l'entreprise, maintenant dotée d'une nouvelle direction, trouve ce qu'elle pense être l'exaucement de sa prière. « Ce qu'il nous faut, c'est quelques jeunes superbranchés frais sortis de Harvard, qui nous apportent le concours de leurs compétences en matière de finance. Ces types vont nous sauver de nous-mêmes », dit le nouveau chef de direction à ses actionnaires.

L'An VI, la nouvelle direction adopte les solutions astucieuses proposées par les croque-chiffres harvardiens qui dirigent l'entreprise à présent et se moquent éperdument de ce qu'elle fabrique. Les croque-chiffres ne s'aventurent jamais dans les ateliers et pensent qu'une fraiseuse sert à faire du lait battu à la fraise.

Comme les *raiders*, ces petits prodiges sont versés dans l'art des manigances financières. Leur sens affiné des finances leur permet de monnayer la valeur courante de l'entreprise. Mais cela n'a rien à voir avec le moyen de tirer parti de cette valeur pour redresser l'entreprise et la remettre sur le chemin de la croissance. Rien ne me tape plus sur les nerfs que de voir consacrer tant d'énergie, de temps et de ressources précieuses à monnayer un avoir acquis, alors que justement il devrait s'agir de créer de nouveaux avoirs.

Ces MBA, qui semblent tous porter des lunettes (je suis persuadée que ça fait partie de l'uniforme même s'ils ont une vision parfaite), trompent les actionnaires en leur faisant croire que tous profiteront du démantèlement de l'entreprise. On commence alors à en vendre les éléments les plus valables pour ne laisser que des éléments trop mutilés pour reprendre vigueur et croissance. Personne ne songe sérieusement au moyen de relancer la croissance, ce qui devrait être le but primordial de toute entreprise pendant son séjour au creux du cycle.

De toutes les pratiques abracadabrantes de la finance, pas une seule n'a créé un emploi. Comme quoi, c'est fâcheux de voir des *raiders* faire passer pour une croissance authentique leur prestidigitation financière.

LA MISE EN FORME FINANCIÈRE

Un croque-chiffres, que je vais appeler Arthur, achète une entreprise qui fabrique des photocopieurs et, vous l'avez deviné, exécute une mise en forme financière. Ce type ne s'est jamais fait une tasse de café, et encore moins une photocopie de quoi que ce soit, mais voilà qu'il s'envole de Manhattan pour restructurer une entreprise produisant des appareils qu'il ne sait même pas utiliser.

Arthur, pourtant, est très habile à émettre des obligations de pacotilles. Peu lui importe que de son absence d'expertise en fabrication, idem en marketing, dépend le gagne-pain de huit cents travailleurs. Tous vont être sacrifiés sur l'autel de sa soi-disant stratégie de redressement. Arthur, lui, en est quitte pour plusieurs millions dans sa poche.

Arthur et ses semblables n'ont pas disparu à la fin des années 80, malgré le scandale des caisses d'épargne et de prêt, la chute spectaculaire des joueurs comme Robert Campeau et Robert Maxwell, et la disgrâce suivie de la prison du roi des obligations de pacotilles, Michael Milken, ainsi que d'autres parasites qui s'attachent aux entreprises dans le creux de la vague. Le prédateur rapace ne rôde peut-être plus, mais, à n'en pas douter, il ne manque pas d'opportunistes prêts à proposer des remèdes miracles à des entreprises aux abois qui cherchent à se relever sans douleur.

Au fait, on appelle communément les années 80 « la décennie de l'âpre avidité », mais ne serait-il pas plus juste de parler de « la décennie du délire » ? Sans la zizanie semée par des gens comme Milken, T. Boone Pickens, Ivan Boesky, Campeau et des centaines d'imitateurs, nombre d'entreprises auraient pu se relever bien plus vite, au lieu de vider leur trésorerie dans la vaine recherche d'un élixir magique.

Quant aux entreprises qui ont refusé le remède miracle à leurs problèmes profonds, l'An VII les amène enfin à se confronter à la triste réalité. Mais que faire, quand la lune occulte le soleil et que la foudre tombe partout ?

BÉNÉDICTION ET MALÉDICTION

La bonne nouvelle, c'est que les perdants peuvent devenir gagnants. Le séjour aux enfers est à la fois une bénédiction et une malédiction. Une bénédiction en ce que l'entreprise a survécu, exploit qui à lui seul mérite une médaille. Une malédiction en ce que la survie n'est point la croissance. Pour retrouver celle-ci, et de façon durable, l'entreprise ne dispose que de trois voies de sortie, et toutes les trois semblent assez évidentes. Mais gare à l'apparente simplicité de la chose ! Il s'agit là d'un jeu très sérieux et se tromper de sortie peut s'avérer funeste au plus haut point.

La **première sortie** vous invite à concevoir de nouveaux produits que le consommateur a vraiment envie d'acheter.

Il ne suffit pas de s'étonner de ce que le consommateur ingénu ne veuille pas des produits que la compagnie choisit de leur proposer. L'attitude « Mais nous avons le meilleur produit, nous sommes à l'avant-garde de notre industrie » est mal vue d'un public qui a d'autres choix, souvent à prix moindre. Et à quoi bon si l'entreprise coupe le prix des produits dont personne ne veut ? Ferait-on la queue pour acheter une barratte à beurre parce que le fabricant n'en fait plus et qu'il les offre à prix d'aubaine?

On m'a conté l'histoire, rendue célèbre par les annonces publicitaires d'un concurrent, de ce groupe de cadres de GM qui prennent enfin conscience de l'envahissement de Honda qui menaçait leur entreprise. Après une journée consacrée au constat lugubre des ventes à la baisse, les cadres se dirigent dans le crépuscule vers le stationnement. Et là, parmi les rangées de Buick, d'Oldsmobile et de Chevrolet, ils ont du mal à trouver chacun leur voiture, car elles se ressemblent toutes.

La production en série marchait très bien pour le Modèle T de Henry Ford et la Coccinelle de Volkswagen; il n'y avait pas d'autre choix dans ces fourchettes de prix. GM a cru pouvoir imposer au marché son image ennuyeuse. Mais avec l'arrivée sur nos rivages d'une concurrence réelle, le géant de l'automobile a fait l'autruche et a trop tardé à reconnaître le problème.

La **deuxième sortie** mène vers de nouveaux marchés. Eh oui! Pas étonnant que les dirigeants d'entreprise salivent devant la conversion au capitalisme de l'Europe de l'Est. Dans les années 80, c'est la Chine, avec son marché de huit milliards d'habitants affamés de nos produits, qui devait sauver l'Occident. Personne n'a songé à se demander comment on allait faire parvenir ces produits à l'ensemble de la population desservie par un piètre système de transport et un réseau primitif de distribution. Le mirage, pour des entreprises mourantes comme American Motors, c'est que la Chine représentait en puissance l'ultime voie vers le salut.

Il est vrai que, pour certains, la Chine a répondu aux attentes. La société International Semi-Tech Microelectronics, de James Ting, y a trouvé un marché tout prêt à absorber les ordinateurs personnels qu'il n'arrivait pas à vendre en Amérique du Nord et en Europe. Ting devait par la suite se servir de sa base chinoise pour édifier un empire mondial de l'électronique à présent bien enraciné dans la nouvelle économie.

Mais les première et deuxième sorties ne sont pas pour tout le monde. Voyons ce que nous propose la **troisième sortie**. Cette sortie mène vers de nouveaux procédés qui ne seront valables que si l'entreprise prend le ferme engagement de devenir le fournisseur le moins cher de la planète. Des trois sorties, c'est la plus ardue. Peu d'entreprises ont l'estomac de décider de rogner sur les coûts durant, disons, les quarante prochaines années.

Quand même une entreprise n'aurait devant elle d'autre perspective que celle d'un marché toujours plus rétréci pour des produits dont la demande décline toujours, c'est la sagesse même que d'introduire de nouveaux procédés qui améliorent la qualité tout en permettant de réduire les coûts au minimum. Les fabricants d'acier peuvent sortir du rouge en introduisant de nouvelles techniques qui réduiront à néant la surcapacité d'hier.

Si aucune de ces sorties ne mène vers la terre promise – si chaque sortie est bloquée par un manque de vision ou de savoir-faire – la solution intelligente est de se vendre à une entreprise ayant du muscle dans l'un des domaines en question, tout en espérant que la dot apportée à ce mariage suffira à vous garder dans les bonnes grâces de la compagnie acheteuse. Après tout, il ne sert à rien de courir après de nouveaux produits si le dernier en date remonte déjà à quarante ans. Inutile de vous adresser à votre directeur de la recherche sexagénaire pour lui donner l'ordre de réactiver le service R & D. Le fond de connaissances fera défaut, et le pauvre directeur qui a sans doute passé les vingt dernières années à lire des brochures sur la retraite pourrait en faire une crise cardiaque !

Ne songez pas non plus aux marchés étrangers s'il faut abonner votre vice-président marketing au *National Geographic* pour l'aider à situer le Japon. De même, l'Europe de l'Est n'est pas indiquée pour ceux qui ne sauraient vivre sans eau courante, chaude et froide (en même temps). De même, si pour vous l'étranger commence à l'est du Missouri, vous feriez mieux de retourner à votre tricotage et d'attendre de faire l'objet d'une acquisition amicale.

L'ENTREPRISE EST LA SOMME DE SES ÉLÉMENTS

Parfois, c'est une marque ou une gamme de produits qui se trouve bloquée dans le creux. Qui ne connaît ces marques célèbres autrefois véritables sources de profit mais à présent anémiques en raison de la transformation des goûts amenée par le temps ? La clé de la survie, c'est l'innovation et le marketing créatif.

Prenez le cas de Brylcreem, produit capillaire du temps de ma jeunesse qui se trouva délaissé par les ados masculins aux cheveux longs des années 60, dédaigneux de tout ce qui leur rappelait les parents. Le propriétaire de la marque, Beecham, dépensa une fortune à reformuler le produit dans un nouvel emballage (en tube plastique plutôt qu'en bocal de verre). Le lancement en 1968 du « New Brylcreem », à grands renforts de frais jusqu'alors inédits, parvint à attirer une clientèle plus jeune et à fracasser les records de vente dans de nouveaux marchés. La compagnie poursuivit agressivement les marchés étrangers, débordant sur les marchés du Moyen-Orient, de l'Asie et de l'Afrique.

Hélas, la mode change. Le produit semble de nouveau languir tandis que les cadres se contentent de garder la part majeure d'un marché en déclin.

Rien ne m'irrite davantage que de voir pâlir des marques connues. Où donc se trouvaient les propriétaires de ces marques quand le vent a commencé à tourner ? Ou bien ils dormaient, ou bien ils étaient médusés par ces lignes verticales de croissance, hébétés par la conviction que leur produit – et leur produit seul – se vendrait dans les siècles des siècles.

Les experts en marketing auraient des leçons à recevoir de l'industrie de la volaille. L'abattage de la volaille est l'un des champions de l'ancienne économie. Mais l'évolution en est instructive. Les grands du conditionnement, les Purdue Farms, les Cassy Farms et autres, ont réussi à se transformer en joueurs importants, profitant de nouveaux procédés tout en exploitant de nouveaux marchés avec des produits novateurs. Pourquoi vendre de la simple poule au pot qui exige une cuisson tatillonne pendant des heures, alors qu'on peut vendre du poulet gourmet prêt à mettre au micro-ondes à des prix beaucoup plus élevés, profitant ainsi du changement des préférences du consommateur pour faire des bénéfices énormes ? On continue tous à manger – plus que jamais d'ailleurs – mais pas de la même façon. Aujourd'hui, on dîne moins mais on broute davantage, et c'est pourquoi la saucisse connaît une croissance rapide dans la nouvelle économie.

Coca-Cola, qui met en marché la marque la mieux connue du monde entier, récolte des bénéfices faramineux parce que l'entreprise ne s'est jamais laissée aller à des bêtises du genre « Le monde peut changer mais nous, nous ne serons pas touchés. » Où en serait l'entreprise aujourd'hui si elle avait tenu l'aspartame pour une mode passagère ? Au contraire, elle a exploité vigoureusement de nouveaux créneaux ouverts par la demande de breuvages diététiques et sans caféine, tout en se ménageant de nouveaux débouchés outre-mer.

Bref, Coca-Cola s'est comportée exactement comme il le fallait dans trois domaines, pour assurer sa transition sans hoquet de l'ancienne à la nouvelle économie :

1. Conception de nouveaux produits que les consommateurs veulent acheter.

2. Exploitation de nouveaux marchés. Qui d'autre aurait pu mettre des T-shirt sur le dos des jeunes du Liban ?

3. Développement de nouveaux procédés permettant une production meilleure, plus rapide et moins chère.

Coca-Cola démontre d'ailleurs, après la tentative désastreuse en vue de modifier la recette classique, qu'il n'est même pas nécessaire de changer le produit de base si on excelle à se positionner pour profiter de l'évolution de la demande. Kellogg commercialise ses fameux Flocons de maïs aujourd'hui de façon à attraper les enfants du *baby-boom* qui sont soucieux de leur santé, mais ont le muesli en horreur et ne veulent plus voir de noix dans leur bol !

L'arrêt de mort, c'est de se dire : le monde peut changer, mais mon produit, mon entreprise, mon industrie n'en sera pas touchée. Demandez donc aux promoteurs immobiliers et aux institutions financières qui ont mis en danger des milliards de dollars à cause des réflexes d'ancienne économie, si courants dans le monde des services financiers habité par les banquiers, les courtiers et les assureurs, ainsi que dans les industries qui leur sont proches.

CHAPITRE 7

Les obstacles

Les Reichmann, ermites milliardaires, firent les manchettes dans le monde entier lorsque leur empire immobilier, Olympia & York, fut ébranlé par une grave crise financière. La nouvelle ébranla également les marchés mondiaux, poussa les investisseurs à se terrer et les gouvernements à convoquer des réunions urgentes. Si une entreprise aussi puissante qu'Olympia & York titubait au bord du précipice, cela signifiait donc que rien n'était à l'abri des coups assenés par l'affreuse économie ?

Les médias s'intéressaient surtout aux immenses pertes potentielles que pouvaient subir les banques ayant prêté de l'argent à Olympia & York. Mais ils faisaient preuve aussi d'une grande sympathie à l'égard des frères Reichmann, si respectés de tous. Peut-être, opinait-on, étaient-ils allés un peu trop loin en voulant entreprendre le gigantesque projet de Canary Wharf dans un quartier délaissé de l'est de Londres. Et qui eût prédit que le vent glacial de la récession devait souffler si longtemps au-dessus des portefeuilles qu'ils détenaient dans l'immobilier et les ressources naturelles ?

Si les journalistes, experts et autres poncifs avaient été informés le moindrement de la lame de fond qui transformait l'économie dès le début des années 80, ils n'auraient pas du tout été surpris des malheurs qui, partout dans le monde, frappent l'industrie immobilière. Au contraire, ils auraient eu lieu de s'étonner que, pendant si longtemps, l'industrie ait réussi à retarder l'échéance fatale. Car l'immobilier, résolument inscrit dans la mouvance de l'ancienne économie, devait fatalement subir le même sort.

Tout comme on est ce qu'on mange, les promoteurs immobiliers ne valent que ce que valent leurs principaux locataires, prospères ou pauvres. Et toutes les savantes manœuvres financières du monde ne changeront rien au fait qu'un seul promoteur s'était constitué fournisseur d'immeubles pour une industrie qui avait déjà plafonné et amorcé sa descente vers le creux tant redouté. Les frères Reichmann ont misé sur les banques, les maisons de courtage et d'autres joueurs dans l'arène des services financiers, industrie tellement imbriquée dans l'ancienne économie.

En 1982, quand, des banques étrangères qui s'installaient alors au Canada, Olympia & York en a décroché treize comme locataires à long terme dans le prestigieux gratte-ciel First Canadian Place de Toronto, la stratégie semblait impeccable. Le secteur des finances était en plein essor et le mètre carré valait cher. L'euphorie qui régnait masquait cependant la réalité.

Les services financiers entraient dans la phase inflationniste au cours des années 80. La phase suivante, nous l'avons vu, c'est la désinflation, invariablement. Qu'on se rappelle, durant cette période, les compressions des entreprises qui licenciaient des travailleurs, réduisaient leur coûts par tous les expédients imaginables, le tout rien que pour survivre. En tant que fournisseur, l'industrie immobilière figurait parmi les coûts. Une affaire augure mal quand l'un de vos clients importants vient vous demander de l'aider à réduire ses dépenses. Justement le genre de locataire que vous aimeriez voir occuper des milliers de mètres carrés de vos meilleurs locaux, n'est-ce pas ?

Aucune mise en forme financière ne peut protéger le premier fournisseur de locaux contre toute douleur. Il faudra entonner de nouveau la litanie lugubre de ces mots en r : restructuration, réorganisation, retranchement, repositionnement, réduction du risque. Rengaine rétrograde. La première règle que dicte le bon sens en affaires est de se mettre dans la mouvance d'une industrie en croissance. C'est une règle dont n'ont voulu tenir compte assez vite ni le promoteur immobilier, ni le bailleur de fonds.

QUI DIT QUE LES BANQUES SONT LÀ POUR TOUJOURS ?

Lorsque, dans des sueurs froides, les banquiers se réveillent de cauchemars peuplés d'emprunteurs désastreux comme Alan Bond, Robert Campeau, Robert Maxwell, le Pérou, Donald Trump, ils se réconfortent en se disant qu'il ne peut rien leur arriver de pire. Que la crise Reichmann passe, que le marché de l'immobilier reprenne, et ils seront de nouveau aux premiers rangs à s'empiffrer dans l'auge de la finance.

Magistrale erreur. Leurs problèmes ne font que commencer, leurs cauchemars les plus épouvantables sont sur le point de se réaliser. À moins de se raviser à fond et de changer de stratégie, et vite avec ça, les banques ne seront bientôt plus qu'une curiosité dans la petite histoire de la finance.

Tenez, voici un petit morceau savoureux mais capable de flanquer une indigestion aux promoteurs et autres qui ont tant misé sur l'avenir de l'industrie actuelle des services financiers. Les banques, principaux fournisseurs du crédit dans l'ancienne économie, ne comptent aujourd'hui que pour 6,4 pour cent de tous les fonds levés annuellement aux États-Unis par toutes les sociétés et tous les particuliers réunis. Je pourrais citer une demi-douzaine de fonds de retraite aux États-Unis capables, au pied levé, de pourvoir à une telle part de marché. En fait, n'importe quel participant avec une part de marché de moins de 7 pour cent dans n'importe quelle industrie, soit qu'il tient en réserve un nouveau produit susceptible d'effectuer une percée majeure, soit qu'il en offre un vieux qui moisit au fond des rayons.

Ce n'est pas que les banques ne comptent plus, mais tout simplement qu'elles n'ont plus le même poids qu'avant. Pourtant, on reste pénétré de cette notion absurde selon laquelle c'est par le système bancaire que coule le sang vital de l'économie. D'où la panique provoquée par la perspective d'une possible crise bancaire à la suite d'un effondrement de Olympia & York. Et mis à part notre souci, fort légitime, de tout l'argent que nous avons confié à la banque, il importe peu, dans un sens économique plus large, que la structure financière actuelle soit préservée.

C'est la banque privée qui était le facteur dynamique du financement du cercle du traitement des marchandises, tout comme la banque commerciale a procuré les capitaux nécessaires au fonctionnement de la fabrication en série dans le Cercle F. La banque n'est pas étrangère à l'évolution et la fonction bancaire va évoluer de nouveau dans la nouvelle économie. La triste vérité aujourd'hui, c'est que les banques semblent impuissantes ou réticentes à faire le saut dans le cercle de la croissance. Au contraire, elles s'érigent plus souvent qu'autrement en obstacles à l'expansion.

Ce n'est pas une coïncidence si les banques en sont jusqu'aux yeux dans les prêts consentis au secteur de l'immobilier. Celui-ci est le secteur qui leur convient parfaitement, tous ces biens immobiliers qui ont si belle allure sur le papier. Des valeurs tellement plus sûres que ces entreprises fantasques à haute croissance et qui n'ont pour toute substance que le cerveau. Comment estimer la matière grise quand la valeur se calcule habituellement en fonction des briques, du mortier et des stocks ? Inaptes, semble-t-il, à comprendre ce qui fait marcher la nouvelle économie, les banques, de même que les autres fournisseurs usuels de capitaux, sont condamnées à rester enfermées dans les limites toujours plus serrées de l'ancienne économie.

Les banques s'empressent de reconnaître qu'elles ne sont performantes que dans la mesure où le sont aussi les particuliers, les entreprises, les industries et les pays qu'elles servent à titre d'intermédiaire financier. À l'époque où le cercle de traitement des marchandises dominait le monde des affaires, les banques privées déployaient les amples ressources provenant de grandes fortunes familiales et fournissaient la plupart des capitaux requis par les barons des chemins de fer, de l'extraction minière, des textiles et de l'acier, et ce, normalement de façon ponctuelle. Le plus souvent, il s'agissait d'autofinancement de la part de familles ou de groupes de familles incroyablement riches (qu'on pense aux Rothschild, à Andrew Mellon), car les banquiers se doublaient de puissants industriels. Chaque grande famille possédait sa banque ou y avait accès.

Les gardiens de ces fortunes privées se seraient rebiffés à l'idée de prêter de l'argent à qui n'était pas de leur cercle ou qui n'avait pas l'aval de quelqu'un qui en était. À ces banquiers vieux style, confortablement installés dans le Cercle T, il eût paru une fantaisie outrée que d'ouvrir leurs coffres à l'épargne des masses.

« Dites donc, baron, savez-vous ce que font ces banques commerciales du nouveau monde ? Elles ont des succursales qui acceptent de l'argent de n'importe quel quidam qui franchit leur porte. Ensuite elles mettent en commun ces fonds et puisent dedans pour prêter à de parfaits inconnus. Inouï, n'est-ce pas ? »

Les banquiers aristocrates qui ne savaient pas s'adapter aux énormes besoins de financement de l'ère de la fabrication en série durent se résigner au rôle de comparse cossu destiné à végéter au fond du creux dans une obscurité luxueuse. Les grands rôles allaient aux firmes agressives et dont le nom devait être sur toutes les lèvres : Bank of America et First National City Bank aux États-Unis, la Banque Royale au Canada et Barclay's Bank en Grande-Bretagne.

À leur tour, celles-ci, ainsi que des dizaines d'autres grandes banques soutenues par les puissantes motrices du Cercle F, cabotent depuis des années, bravant les crises provoquées par des prêts imprudents à l'étranger et par d'autres aventures. Beaucoup d'entre elles font encore d'immenses bénéfices, mais elles courent, autant que ces banquiers privés d'antan insensibles aux nouveaux venus qui passaient à côté de leurs établissements par trop discrets, le risque de tomber dans l'immobilisme.

Les joueurs de la nouvelle économie confient aux banques la paie et d'autres comptes, mais ils vont ailleurs chercher des capitaux importants. Les banques n'aiment pas prêter aux demandeurs sans immobilisations. Le banquier moyen préfère voir ses prêts garantis par des usines et du matériel au millésime 1950, plutôt que de miser sur une idée, sur une invention, sur une innovation, sur une liste de brevets. Le millésime vaut pour le vin et les meubles, mais très peu pour indiquer le genre de valeurs recherchées par les banques. Qu'on soit une entreprise ou un particulier désireux de se procurer une marge de crédit, les critères sont les mêmes dans les deux cas – et les formulaires aussi – car ils sont conçus pour mesurer, en grande partie, la valeur nette exprimée par des avoirs corporels.

Lorsqu'il arrive aux banquiers de prendre un risque auprès d'une industrie donnée, comme il est arrivé à First Boston de miser sur l'industrie cinématographique dans les années 30, les gains sont souvent impressionnants. Là où elles se font avoir royalement, c'est quand elles s'abandonnent à l'instinct grégaire. Il arrive trop souvent que les banquiers se laissent brûler par des projets financiers farfelus proposés par un beau parleur habillé comme il faut et avec l'entregent qu'il faut. Un inventeur génial, aux habits mal ajustés, et qui n'a pas de vaste portefeuille de vieux avoirs douteux, se fait virer comme un pauvre quêteux.

La principale source de financement de la nouvelle économie se trouve aujourd'hui dans la vaste réserve de richesses accumulées depuis quelques années par les fonds de retraite. N'importe quel entrepreneur *high-tech* le sait pertinemment, il est plus facile de vendre une idée à un fonds d'investissement possédant des milliards de dollars dans une vaste gamme de placements sophistiqués de portée mondiale plutôt qu'au banquier du coin. Les sociétés de capitaux à risque et les fonds de retraite sont moins sujets à la psycho-rigidité. Les petites entreprises avides de croissance abordent couramment les fonds de retraite. Ceux-ci ont souvent de belles chances de réaliser un rendement plantureux sur leur investissement, et deviennent actionnaires, souvent à long terme.

C'est le cas de James Ting, fondateur de International Semi-Tech Microelectronics. L'immigrant de Hong Kong n'a pas eu de chance auprès des instances nord-américaines de la banque et de l'investissement quand il cherchait des capitaux au milieu des années 80 pour réaliser son rêve d'un empire multinational de l'électronique ayant son siège au Canada. Où est-il donc allé chercher les millions qu'il lui fallait ? Chez les investisseurs de Hong Kong – à qui plaisaient et lui et ses idées – et auprès du gigantesque British Merchant Navy Officers Pension Fund, qui est devenu le plus important actionnaire de Semi-Tech après Ting lui-même.

L'expérience de Ting n'est aucunement exceptionnelle dans la nouvelle économie. Imagine-t-on un superbranché comme Bill Gates portant blue-jeans et baskets se présenter nonchalamment devant le banquier du quartier pour le quitter ensuite avec des millions sous forme de garanties de prêt? Quand même le banquier surclassé aurait compris la stratégie de Gates et ses logiciels novateurs, il n'y aurait pas eu de garantie réelle. Comment le pauvre banquier aurait-il pu envisager de risquer sa carrière en misant sur le cerveau d'autrui? Bien sûr que la réussite fabuleuse de Microsoft permet à Bill Gates à présent de demander tout ce qu'il veut à la banque. Mais pourquoi le demanderait-il, alors qu'il lui est bien plus facile et bien plus commode d'obtenir des capitaux ailleurs?

Les banques vont rétorquer qu'il n'est pas de leur ressort de fournir des capitaux à risque, de prendre des chances avec l'inconnu et le non-prouvé. Voilà qui ne les a pourtant pas empêchées dans les années 70 d'accorder des prêts douteux à des pays du Tiers-monde criblés de dettes. Ni, ensuite, dans les années 80, de mettre leurs vastes ressources à la disposition de joueurs du tout pour le tout comme Maxwell, Campeau et tant d'autres démangés par la manie d'acheter des entreprises qu'ils n'avaient pas le moyen de se payer avec de l'argent qui ne leur appartenait pas.

La vraie raison de l'absence des banques dans le financement de la nouvelle économie, c'est qu'elles ne l'ont jamais comprise et qu'elles n'ont jamais su comment estimer les risques en cause. Reconnaissons toutefois que les banques sont en train de se reprendre en main et c'est à parier qu'une industrie ayant pu réaliser des exploits de haute technologie – le transfert électronique de fonds – et se trouvant à l'avant-garde dans l'élaboration d'une foule de nouveaux services financiers, saura relever le nouveau défi que lui lancent les temps nouveaux.

LES DERNIERS JOURS DE WALL STREET ET BAY STREET

Les marchés boursiers ont joué un rôle capital dans le financement de la transition du cercle du traitement des marchandises à celui de la fabrication en série. Sans l'intermédiaire de Wall Street, les grandes entreprises de fabrication n'auraient jamais vu le jour. Et ces marchés sont encore une formidable source de capitaux peu chers. Bill Gates ne serait pas aujourd'hui milliardaire sans l'accueil spectaculaire fait à son entreprise quand il en a vendu des actions au public. Ting, ainsi que bien d'autres, sont redevables aux marchés mondiaux de leur immense fortune et d'une source constante de fonds.

Mais, hormis une poignée d'exceptions, il est manifeste que beaucoup de ceux qui organisent le financement des sociétés sont à peine plus au fait du fonctionnement de la nouvelle économie que leurs cousins de la banque.

Je me souviens encore du jour où j'ai pénétré dans le service de financement des sociétés d'une grande maison de courtage à New York. Il ne m'est pas arrivé de refaire la même expérience ailleurs, mais je ne doute pas que ce que j'y ai vu montre à quel point certaines entreprises sont débranchées.

Dès ma sortie de l'ascenseur, j'ai compris que j'entrais dans un autre monde, hostile à qui n'avait pas des intérêts acquis dans l'ancienne économie. L'ambiance évoquait celle d'une firme habituée depuis toujours à l'opulence, ce qui ne m'aurait pas tellement dérangée si la compagnie avait été vieille de plus de cinq ans. L'effet produit était voulu. Ces types voulaient donner l'impression de solidité, de longévité, de discernement, de pedigree impeccable, de relations puissantes.

Les planchers resplendissaient de marqueterie de bois franc rare et verni, conçus pour recevoir la déambulation de messieurs au col cassé ou chaussés de mocassins Gucci. Mes talons me signalaient comme intruse vulgaire, leurs petits coups secs retentissant dans les bureaux luxueusement aménagés. Je me sentais comme qui aurait porté une robe rose pour assister à des funérailles.

Après avoir subi l'inspection à la réception, on me fait passer dans ce que j'ai appris par la suite être l'une de leurs trois grandes salles de conseil. Celle que les associés semblaient affectionner avait l'air – je ne sais comment la décrire autrement – d'être transportée telle quelle, et jusqu'aux fauteuils en peluche, d'un club exclusif de la Nouvelle-Orléans. La salle regorgeait d'antiquités, y compris les jeunes messieurs aux idées vieillottes dans leur complet bleu sombre assorti d'une cravate de soie, tous assis autour d'une table ovale en acajou.

J'ai dû me retenir de poser deux questions importantes. Pourquoi une firme de jeunes Turcs voudrait-elle avoir l'air centenaire ? Et comment, dans une ambiance pareille, est-on censé faire des affaires ? J'aimerais aussi rencontrer des clients pour qui ce genre de spectacle a une signification, car il est certain que ces messieurs comprennent très peu à ce qui se passe dans le monde depuis dix ans.

La vérité est que cette firme réalise la plus grande partie de ses bénéfices – en constante baisse – en canalisant votre argent et le mien, y compris notre argent durement gagné placé dans un fonds de retraite, directement dans l'ancienne économie. Imaginez un portefeuille de placements bourré de l'équivalent moderne de fabricants de fouets de boghei. Je ne vois pas de jeune superbranché réussir le passage de la réception. Rien de tel que de vieux baskets pour laisser des traces sur des planchers aussi resplendissants, qu'une idée audacieuse et novatrice pour déranger une ambiance aussi soigneusement montée pour faire vieux.

ASSURER L'AVENIR

Il y avait une fois des marchands qui se réunirent dans un café de Londres pour mettre en commun des fonds destinés à assurer les cargaisons provenant des quatre coins de la Terre. Ils devaient par la suite se regrouper en consortiums pour assurer toutes sortes de risques maritimes.

Ce genre d'assurance était essentielle à la croissance du cercle de traitement des marchandises, dans lequel les activités maritimes constituaient une force des plus dynamiques. Le système a très bien fonctionné jusqu'au temps de la transition vers le cercle de la fabrication en série. À l'instar de l'ensemble de l'économie d'alors, les assurances et les exigences qu'elles devaient satisfaire ont subi une profonde transformation. Outre l'assurance traditionnelle des risques maritimes et du transport des matières premières, les assureurs devaient fournir des polices d'assurance-vie, d'assurances médicales, de prestations de retraite, pour répondre à la demande des millions de travailleurs œuvrant au cœur de ce cercle.

Avec le temps, l'industrie des assurances a été en mesure d'exploiter un marché de consommateurs de plus en plus enrichis, de créer à l'intention de ceux-ci et à une échelle massive, des assurances-vie, automobile et accident. Cet effort créateur a incité l'industrie à s'aventurer sur des terrains inconnus. Comment, en effet, calculer le prix de la première police d'assurance pour une voiture automobile ? Tout le monde savait que ces engins étaient dangereux à n'importe quelle vitesse !

L'économie est de nouveau en transition et en train de subir de profondes modifications. Le cercle de la technologie offre de grandes possibilités, champ en grande partie laissé en friche par les géants de l'industrie jusqu'à présent. Ceux-ci se trouvent donc, par inadvertance, être un obstacle à la croissance. En se mettant à soutenir la nouvelle économie, les assureurs pourraient réaliser des gains immenses. Il est vrai que l'industrie se diversifie et se livre à des activités simili-bancaires et à d'autres entreprises financières, mais celles-ci sont surtout liées à l'ancienne économie ou soumises à la concurrence brutale du marché de la consommation.

En ce qui concerne la nouvelle économie, beaucoup d'assureurs n'ont pas encore quitté la case de départ. Plus ils tarderont à entrer dans la course, plus longtemps ils vont poireauter dans le creux, en concurrence avec toutes les autres institutions financières « plafonnées », à se disputer les mêmes clients qui n'ont plus besoin de leurs services et qui seraient de toute manière incapables de les payer.

Une petite compagnie d'assurances canadienne m'a autrefois abordée avec une belle idée, une forme vraiment novatrice d'assurance environnementale. On me demandait des renseignements sur l'industrie minière, pour laquelle on avait conçu le produit en question.

Si jamais une industrie avait besoin d'assurance environnementale, c'est bien celle des mines, et les compagnies minières en sont très conscientes. Par le passé, l'industrie n'avait pas à faire provision pour la coûteuse remise en état de l'environnement, une fois la mine dépouillée de ses richesses. Au stade terminal de l'exploitation de la mine d'ailleurs, une telle provision dépasse normalement la valeur de la compagnie.

L'idée, telle qu'on me l'a exposée, était d'une simplicité élégante. Elle s'inspirait de la très ordinaire police d'assurance-vie qui grandit en valeur pendant la durée de la police. La compagnie minière souscrirait une police d'assurance qui tomberait à échéance lors de l'inévitable épuisement de la mine. Il y aurait alors des fonds suffisants pour couvrir les coûts de la remise en état approximative de l'environnement.

La petite compagnie d'assurances n'était pas de taille à établir toute seule une telle police, mais ses cadres avaient beau chercher le concours d'institutions plus importantes, aucune ne voulait y participer. On aurait cru qu'une industrie prête à assurer des navires de long cours aurait pu trouver moyen de calculer de nouveaux risques sur terre. Après tout, toutes les mines ne feront pas la une avec des coûts désastreux. L'État aimerait voir les compagnies constituer des provisions pour les coûts de la remise en état de l'environnement, sinon ce sont les contribuables qui pourraient en faire les frais. Voilà pourtant des occasions que le marché persiste encore à manquer.

Il se peut que l'industrie répugne à prendre connaissance d'un domaine neuf, différent, et – bien sûr – risqué. Mais si les assureurs ne veulent pas prendre des risques légitimes en affaires, qui s'en chargera ? Si les preneurs de risques de Londres, qui estimaient valable l'idée d'assurance contre le feu après le grand incendie de 1666, avaient adopté le même point de vue, la reconstruction de la ville n'aurait pas été entreprise avec tant d'enthousiasme. Et les activités maritimes n'auraient attiré que les audacieux et les téméraires, au lieu de devenir l'une des grandes forces dynamiques d'abord de l'ère mercantile, ensuite de celle du traitement des marchandises.

De même que l'environnement, le cercle technologique est un terrain fertile pour toute entreprise prête à foncer. Dans le domaine grandissant des soins de santé, par exemple, un assureur se donnerait de belles chances en proposant ce que j'appellerai une assurance gériatrique, ou toute autre assurance destinée aux personnes âgées, produits tout indiqués vu l'importance et la présence toujours plus forte de la population grisonnante dans le marché. Et si on proposait une police à maladie précise pour les maladies d'Alzheimer, de Parkinson et d'autres afflictions calamiteuses. Une police, disons, qui tomberait à échéance dès confirmation du diagnostic médical ? Ne serait-ce pas là une grande source de réconfort pour la malheureuse victime de la maladie ? Elle saurait que les soins coûteux seraient fournis avec la dignité désormais possible grâce à une police d'assurance privée.

Il est certain que l'État ne tient pas à assumer les coûts de longues hospitalisations. Si par ailleurs les assureurs sont en mesure de faire le calcul actuariel du risque de perte de membres, qu'est-ce qui les empêche de calculer les probabilités pour un client d'avoir la maladie d'Alzheimer ou un infarctus ? Des bénéfices énormes sont promis aux compagnies privées qui prendraient sur elles d'outrepasser les limites ordinaires de l'assurance-maladie ou de l'assurance-voyage.

Abordons maintenant le cas crucial des avoirs intellectuels de la nouvelle économie. Jusqu'à présent, les assureurs n'ont pas su les cerner assez précisément pour en assurer la protection.

Si, pourtant, on est fabricant dans l'ancienne économie, il suffit de laisser entendre au club de golf ou de tennis qu'on a une usine ou du matériel à assurer pour qu'une meute d'agents vous tombe dessus avant qu'on ait même eu le temps de ranger ses bâtons ou sa raquette. Les assureurs sont comme les banquiers, ils adorent les choses vieillottes – machinerie, bâtiments et le reste. Peu importe que la marge bénéficiaire de telles activités soit aujourd'hui minime.

Bon, imaginez maintenant la même scène. Seulement, au lieu d'un fabricant, c'est le président d'une entreprise d'informatique qui veut faire assurer les cerveaux de son organisation. Il est à parier que le président pourrait jouer une partie de golf dans le vestiaire sans risque de toucher une seule personne qui admette être dans les assurances !

Les assureurs se féliciteraient d'avoir innové en concevant une police de « personne-clé », en réalité une assurance sur la vie d'un employé important. Mais cette assurance ne vaut que si l'employé tombe raide mort. Que se passe-t-il dans le cas beaucoup plus à redouter de l'employé qui rallie la concurrence ?

Une entreprise américaine avait fait l'acquisition d'une firme britannique de haute technologie affichant un nombre impressionnant d'exploits novateurs. Six mois après, les nouveaux propriétaires se sont avisés, un peu tard, de vérifier les brevets issus de l'activité de leur belle prise. Il y avait beaucoup de brevets, mais les plus importants étaient au nom d'un seul chercheur qui avait quitté l'entreprise après l'acquisition. Cette ressource humaine infiniment précieuse en effet, la raison d'être de l'entreprise, même si le monsieur ne figurait pas dans les livres à titre d'élément d'actif non sectoriel – s'était établie à son compte et s'occupait à déposer de nouveaux brevets qui allaient sans doute mener à des produits directement concurrentiels.

Des milliers d'entreprises se trouvent devant cette même situation potentielle, où leurs actifs principaux ne sont tout simplement pas protégés. Combien d'ingénuité faut-il pour assurer l'actif intellectuel d'une compagnie ? Pas plus, selon moi, qu'il ne faudrait pour l'assurance traditionnelle de stocks, de matériel et de bâtiment. La perte du chercheur britannique était aussi funeste pour les propriétaires de son ancienne entreprise que jadis l'incendie d'un bâtiment. Mais, comme pour ce dernier, il sera possible un jour de s'assurer contre une telle perte. Si je peux m'assurer contre les pertes d'exploitation, pourquoi pas contre les pertes de R & D ?

Un produit connexe, et assurément promis à la réussite : l'assurance-chômage pour travailleur intellectuel. L'introduction par l'État de l'assurance-chômage fut un coup de génie qui a empêché les malheureux de se retrouver sur le pavé sans ressources. Mais pour les scientifiques et ingénieurs habitués à des salaires élevés et au style de vie qui va avec, les prestations de l'assurance-chômage ne permettent pas d'aller très loin. De même que les assureurs supplémentent l'assurance-maladie de base, l'assurance-chômage privée offre un marché énorme. Et les risques sont relativement moindres du fait que les perspectives d'emploi sont tellement meilleures que dans l'ancienne économie.

Quant à la petite compagnie d'assurances, celle justement qui avait eu la brillante idée de vendre de l'assurance environnementale, elle a cessé ses activités. Elle a succombé en tentant de surmonter les infranchissables obstacles dressés par les compagnies peu portées sur les risques inhérents à toute transformation. Mais elle sera bientôt rejointe au cimetière par des compagnies bien plus grandes et bien mieux nanties qu'elle ;

c'est le sort inévitable des entreprises qui refusent de s'adapter à la conjoncture nouvelle. Réveillez-vous donc, Hartford, avant de vous engager sur la pente glissante qui ne mène nulle part.

Un obstacle de taille est dressé par la foule des représentants élus à tous les paliers de gouvernement. En dépit des meilleures intentions, ils ne font à chaque coup que nous enfoncer davantage dans l'ancienne économie parce qu'ils ne savent même pas que la nouvelle économie existe.

Le maire d'une municipalité en difficulté m'a téléphoné un jour pour me demander de proposer un plan de redressement économique. Il me prévient que certains édiles opposeraient une résistance farouche à toute espèce de changement. Voilà qui me semblait bien bizarre dès que j'ai eu l'occasion de voir la ville en cause. Car j'aurais pu tirer un coup de canon dans la rue principale sans risque de toucher quoi que ce soit ayant une importance économique.

Les trois grands employeurs installés dans la ville étaient tous soudés à l'ancienne économie, ce qui entraînait, comme de raison, de constantes pertes et mises à pied. On réduisait les quarts de service, fermait des usines, abandonnait des fournisseurs et dégraissait les listes de paie à coup de millions de dollars, fonds qui alimentaient la ville en biens et services. Le prix des maisons piquait du nez tandis que des ménages inquiets cherchaient à vendre avant d'aller ailleurs chercher du travail. Quand j'y suis arrivée, la ville autrefois prospère était en passe de devenir une version 1990 de la ville fantôme du dix-neuvième siècle, celle qu'on désertait lorsque la mine d'argent était épuisée, que les troupeaux de bétail cessaient de venir, ou qu'on arrachait le nouvel embranchement de voie ferrée.

Elle me faisait penser à une ville du New Hampshire qui avait connu des jours de gloire comme centre de l'univers pour la fabrication des barattes à beurre. La baratte était à l'époque l'équivalent du robot culinaire d'aujourd'hui et aucune famille qui se respectait n'aurait su s'en passer. L'essor des laiteries commerciales ternit cette gloire. Mais pas du jour au lendemain. Que faisaient les notables de la ville pendant ce temps ? Ils se contentaient d'affirmer que le monde pouvait changer, mais que la ville n'en serait pas touchée. Voilà.

Peu d'hommes politiques s'imaginent que pareil accident pourrait jamais arriver à une ville industrielle moderne de la fin du vingtième siècle, mais en réalité, malgré tous les millions prodigués par l'État pour soutenir des entreprises de fabrication mourantes, la catastrophe plane sur des centaines de communautés qui parsèment le paysage lunaire de l'Amérique du Nord industrielle. Des usines, sources depuis trois, voire quatre générations, de recettes fiscales et d'emplois stables, ferment l'une après l'autre. Sans stratégie visant à assurer la transition vers le nouveau cercle, les villes qui vivaient de ces usines sont vouées à l'oubli, aussi inéluctablement que ces villes minières de jadis.

La bonne nouvelle, c'est que ces villes sont loin d'être impuissantes à éviter un tel sort. Elles ne sont pas condamnées à voir pourrir les fruits de plusieurs générations de travail. Avec une bonne planification et des efforts de promotion dynamique, toutes ont la possibilité de renaître des ruines de l'ancienne économie.

Les motrices de la nouvelle économie créent de plus en plus de possibilités et c'est vers celles-ci que devraient s'orienter les initiatives municipales. À quoi sert-il d'amener, moyennant avantages fiscaux et autres largesses, encore un joueur de l'ancienne économie dans un parc industriel démodé ? Cela ne fait, au mieux, que reporter de deux ou trois ans l'inévitable débâcle, tout en privant la ville de recettes fiscales et autres qu'elle percevrait d'une compagnie en croissance dans une économie saine.

Il ne s'agit pas pour autant de transformer sa ville en mini-version de Silicon Valley. S'il n'y a pas de sorciers en électronique ou biotechnologie dans les parages, ce n'est pas une raison pour s'abandonner au désespoir et pour envisager le déménagement en masse vers des villes comme Saskatoon ou Seattle où les industries de haute technologie sont soigneusement couvées. Il est encore possible d'attirer d'autres industries à la traîne des puissantes motrices du cercle de la technologie.

On n'a pas besoin d'une foule d'experts super-diplômés pour exploiter une fabrique de saucisses, ou de palettes de manutention, pour ne nommer que deux de mes préférées parmi les industries à haute croissance dans la nouvelle économie. Eh oui, l'humble saucisse connaît un regain de vie grâce à de nouvelles habitudes alimentaires (paître au lieu de dîner), à une meilleure gestion de la qualité, à un approvisionnement abondant et peu cher en matières premières fournies par les entreprises de conditionnement de viande qui enlèvent de plus en plus de gras des steaks et rôtis afin de satisfaire des clients carnivores soucieux de leur santé. De même, combien de savoir-faire technique faut-il pour fabriquer des palettes de manutention, même celles – nouveau style – qui sont en matière composite ? Cette industrie est florissante maintenant qu'à peu près tout dans la nouvelle économie est livré sur plates-formes mobiles aux fabricants juste-à-temps. (La technique juste-à-temps, perfectionnée par les Japonais, assure la livraison seulement en temps opportun des pièces et matériaux, ce qui élimine le coût du stockage ainsi que le coût de financement des stocks.)

Les occasions de croissance sont à la portée de tous. Mais il faut savoir ne pas écouter les pronostics lugubres de ceux pour qui après la pluie, c'est le déluge.

Il serait normal que la gent politique agisse selon les meilleurs intérêts des électeurs. Mais cela suppose parfois que les élus fassent le choix difficile de lâcher une industrie désuète faisant partie du décor de la ville depuis des décennies. C'est en effet très difficile. Les entreprises qui se trouvent au creux de l'ancienne économie sont beaucoup plus habiles à faire pression pour obtenir de l'aide gouvernementale que les industries jeunes qui n'ont pas d'états de service ni une longue histoire de soutien politique. C'est justement la raison pour laquelle tous les paliers de gouvernement engagent des milliards dans des efforts futiles pour ressusciter des industries moribondes ou déjà mortes, au lieu de dépenser une fraction de ces sommes à encourager des activités offrant de brillantes perspectives d'avenir.

Pour se faire une idée de ce qui va se produire chez nous (et qui effectivement se produit déjà), il suffirait de voir ce qui s'est passé à Sheffield, en Angleterre. Voici une ville autrefois très prospère grâce à son industrie métallurgique et dont le nom est synonyme de l'acier de la meilleure qualité. Mais jamais on ne devinerait cela en parcourant la ville aujourd'hui. Des vaches paissent dans des pâturages où se dressaient dans le temps les plus imposantes aciéries du monde. Je n'ai rien contre le retour à la terre, mais de quoi les habitants de cette ville sont-ils censés vivre ? Sans doute les édiles se félicitent-ils d'un réaménagement urbain réussi mais, pour le moment, l'assiette fiscale a disparu de même que le potentiel de milliers d'emplois permanents et bien rémunérés.

Ce genre de solution n'est pas nécessaire. La diversification économique n'est pas une idée neuve. C'est elle qui fait que Pittsburgh n'a pas trop pâti de la diminution dramatique de la production d'acier. Nelson, en Colombie-Britannique, s'est bien tirée d'affaire en se distançant des activités minières pour se diversifier dans d'autres secteurs. Et la province de Québec également, malgré toute la mauvaise publicité qu'elle reçoit.

Le Québec, chez certains, passe pour un foyer de séparatisme et de nationalisme en ébullition, mais il devrait passer plutôt pour un foyer de la nouvelle économie. Oui, en effet, ce Québec qui donne la migraine à des investisseurs hors du pays et mal renseignés, a créé les conditions optimales pour favoriser une croissance formidable. La province encourage des entreprises aérospatiales et de biomédecine en plein essor et elle est le siège de la deuxième industrie électronique par ordre de grandeur au Canada.

Les origines de la réussite du Québec remontent à 1979, époque où Jacques Parizeau, le grand argentier du gouvernement péquiste de René Lévesque, introduisit un régime novateur d'épargne-actions. Le but de ce régime était de favoriser l'expansion d'entreprises locales qui auraient pu être obligées d'aller chercher leur financement ailleurs. Un moyen simple qui a grandement aidé une foule de jeunes entrepreneurs dynamiques à surmonter d'énormes obstacles financiers.

Des incitatifs semblables ont vu le jour dans d'autres instances, mais avec des résultats moins spectaculaires, peut-être parce qu'il leur manque le zèle nationaliste qui alimentait la stratégie de Parizeau et motivait ceux qui se sont empressés d'exploiter les occasions ainsi offertes. Mais je pense que la réussite du Québec s'explique mieux par la simplicité du régime. La Colombie-Britannique a mis sur pied un programme de capitaux à risques à l'intention des entreprises en mal de financement, mais la complexité des mécanismes est un formidable obstacle. Dès qu'il est question de l'intervention d'avocats, de fiscalistes et d'experts en financement des sociétés, tous aux honoraires élevés, on dirait que l'argent ne parvient jamais à ceux à qui il était destiné, à savoir aux novateurs et créateurs de richesse qui, non seulement ont vu l'avenir, mais qui sont l'avenir.

CHAPITRE 8

Qu'est-ce qu'un travailleur intellectuel ?

Toute ère nouvelle se caractérise par un fonds unique de connaissances qui la distingue de la précédente. Des techniques neuves et des compétences neuves favorisent la création de nouveaux produits, de nouveaux procédés, de nouveaux marchés, pour aboutir à la longue à des industries inédites.

Dans le cercle du traitement des marchandises, c'est la nouvelle technique de production par lots qui devait évincer le rendement limité de l'artisan ou du petit groupe produisant un article à la fois (horloge, vêtement, machine) et rendre possible une expansion explosive et une prospérité sans précédent. Le système de production par lots a permis de produire des centaines de milliers d'exemplaires d'une même pièce. C'est un système qui a provoqué une révolution industrielle où l'augmentation exponentielle de la production a répondu à une baisse vertigineuse des coûts par rapport à ceux de la production artisanale.

Le nouveau fonds de connaissances transforma la nature même du travail (de l'artisanat à la production par lots), le lieu de travail (de la demeure à l'usine), et les nouveaux rapports de travail amenèrent la gestion de la main-d'œuvre et la naissance du syndicalisme.

Dans le cercle de la fabrication en série, une technologie neuve favorisa d'innombrables percées. Grâce aux nouvelles techniques merveilleuses, les fabricants étaient en mesure d'intégrer les composantes dans un produit final. La demande de main-d'œuvre dans le Cercle F augmenta rapidement et les salaires dépassaient largement la moyenne de l'époque. Bientôt, les prestations de retraite et de santé, l'assurance-vie, les congés annuels payés, la cantine, le stationnement devaient figurer comme avantages normaux.

L'importance de cette nouvelle main-d'œuvre était telle que le Department of Labor des États-Unis désigna une catégorie précise de « travailleurs de la production » et, jusqu'à nos jours, il signale chaque mois le nombre d'emplois créés dans l'économie de la fabrication en série. Cette catégorie fournissait donc des chiffres permettant aux économistes de calculer rapidement les progrès de l'économie de la fabrication à forte croissance.

Dans le cercle de la technologie, les travailleurs de production de l'ancienne économie ont cédé l'avant de la scène aux membres des professions libérales, aux scientifiques et aux gestionnaires. Le bureau américain de la statistique du travail n'a pas encore affecté ces travailleurs intellectuels à une catégorie précise, mais il serait grand temps qu'il y pense. Il serait alors à même de constater que plus de 35 millions de personnes se qualifient comme travailleurs intellectuels aux États-Unis, soit 30 pour cent de l'ensemble de la main-d'œuvre. Par contre, les travailleurs de la production comptent pour un peu plus de 10 pour cent de l'ensemble de la main-d'œuvre, contre 23 pour cent en 1960.

QU'EST-CE DONC QU'UN TRAVAILLEUR INTELLECTUEL ?

Tout le monde est d'accord pour reconnaître aux connaissances intellectuelles une place privilégiée. La préoccupation nationale du redressement des normes de scolarité, l'accent mis sur la formation et le perfectionnement des travailleurs déjà actifs et le foisonnement de cours d'instruction de tout acabit témoignent que les nouvelles techniques nées de la nouvelle technologie ont effectivement remplacé les anciennes.

Pour de nombreuses entreprises de la nouvelle économie, le seul élément important d'actif non sectoriel, c'est le fonds de connaissances intellectuelles. Cependant, et contrairement aux immobilisations, les connaissances intellectuelles ne sont pas quantifiées dans le bilan de l'entreprise. À quoi sert un actif si on ne sait pas le mesurer ou, pire encore, si on ne sait même pas qu'il est là ? Ce qui entraîne deux questions. Premièrement, qu'est-ce donc au juste qu'un travailleur intellectuel, et comment savoir si on en est un ?

Pour se qualifier comme travailleur intellectuel, il faut se classer dans l'un des trois groupes d'emploi suivants :

1. Les membres des professions libérales, tels que les médecins, les ingénieurs, les avocats, les comptables et les actuaires. Ce sont les travailleurs intellectuels de la nouvelle ère informatique. La demande de leurs compétences et des informations spécialisées qu'ils apportent a provoqué une augmentation frappante dans les services professionnels.
2. Les travailleurs scientifiques, techniques et d'ingénierie. Ce groupe n'est pas rigoureusement caractérisé par le niveau de scolarité, mais plutôt par l'acquisition de compétences extrêmement spécialisées. De nombreux travailleurs de la production de l'ancienne économie se sont transformés, grâce à une formation

spécialisée, en travailleurs intellectuels de la nouvelle économie.

3. Les cadres supérieurs de direction. Ce sont les détenteurs du pouvoir, les vrais décideurs dans toute entreprise, et pour notre salut à tous, il faut qu'ils soient à la hauteur des nouvelles technologies, sinon on est tous dans le pétrin.

Deuxièmement : Si on ne peut se qualifier comme travailleur intellectuel, est-on pour autant sans connaissances intellectuelles ?

Pareille inquiétude, voici quatre-vingts ans, accompagnait la montée des travailleurs de la production qui commençaient à dominer dans les ateliers et, très visiblement, étaient l'élément dynamique qui propulsait l'économie de la fabrication en série. Si on ne travaillait pas dans une de ces usines géantes, était-on pour autant improductif? Absolument pas. Et il en va de même pour les connaissances intellectuelles dans le monde d'aujourd'hui.

L'ACTIF DES ANNÉES 90 : LES CONNAISSANCES INTELLECTUELLES

Rayons de soleil perçant la grisaille de la dernière récession, les emplois pour travailleurs intellectuels ont accusé, entre juin 1989 et juin 1992, un gain de 1,3 million, ce qui contraste bigrement bien avec les 919 000 emplois qui ont disparu pendant la même période dans le secteur de la fabrication.

Reconnaissons qu'en ce bas monde, il y a des industries futées et des moins futées, et que chacun des deux camps compte beaucoup d'entreprises. Le défi est de discerner lesquelles sont dans lequel, quand on les voit de l'extérieur. Les entreprises futées ont le tour de se démarquer des autres. Leur mode de fonctionnement, le genre d'employés, leur stratégie d'affaires, voilà autant de pan-

Emplois intellectuels – emplois axés sur la fabrication

Année	(en milliers) Travail intellectuel	Travail de fabrication
1984	28 029	13 285
1985	29 106	13 092
1986	29 917	12 877
1987	31 088	12 970
1988	32 711	13 221
1989	34 043	13 269
1990	34 499	12 979
1991	34 806	12 467
Gains (pertes) nets entre 1984-1991	6 777	(818)

neaux routiers voyants : ATTENTION ! COMPAGNIE FUTÉE. GARE AUX CONCURRENTS FOUDROYÉS. Si les chercheurs d'emploi et les investisseurs en puissance regardent comme il faut, ils distingueront une foule d'entreprises prééminentes dans l'économie à forte capacité intellectuelle des années 90, et éviteront ainsi de miser sur une entreprise bancale, source fatale d'angoisse et d'ennui.

Notons, toutefois, que la réussite n'est pas automatiquement garantie à toute entreprise s'établissant dans une industrie à QI élevé et en croissance rapide, telle que l'informatique ou les produits pharmaceutiques. Le potentiel seul ne suffit pas pour assurer la réussite, ni même la survie dans un monde où la concurrence est féroce. Reconnaissons aussi qu'il y a dans l'ancienne économie déclinante des entreprises encore capables de vaincre des concurrents épuisés en se dotant des moyens scientifiques et techniques nécessaires à la mise au point de produits destinés à la nouvelle économie. Elles continueront à faire de l'argent pendant que d'autres seront expulsées de leurs marchés toujours en déclin.

Ce qui distingue les entreprises futées, tant dans la nouvelle que dans l'ancienne économie, ce n'est pas le nombre des usines, ni la qualité du matériel, ni encore la mise en marché des produits. C'est l'utilisation qu'elles font des connaissances intellectuelles. J'ai vite constaté, cependant, que personne, nulle part, n'a élaboré de méthode pour évaluer cet élément, le plus crucial de l'actif non sectoriel. Les analystes peuvent me dire tout sur l'efficacité, la productivité ou les finances, mais rien sur les connaissances, et ils ne savent pas si une entreprise saurait accueillir une brillante idée, quelle qu'en soit la provenance.

Voilà pourquoi j'ai élaboré ce que j'appelle le **Ratio de capacité intellectuelle**^{MC}, qui permet de calculer le nombre de travailleurs intellectuels en pourcentage de l'ensemble de la main-d'œuvre de telle industrie ou de telle entreprise. Bien que facile à calculer, le ratio de capacité intellectuelle est d'une grande efficacité parce qu'il permet au chercheur d'emploi et à l'investisseur de juger si l'entreprise sera apte à soutenir sa croissance.

Quoique le QI des sociétés n'ait jamais été mesuré de manière scientifique, je ne pouvais me refuser à relever le défi. J'y voyais la seule méthode sûre de savoir si une entreprise en particulier ou toute une industrie avait vraiment de l'avenir. Je me suis donc mise à déterminer le niveau de connaissances intellectuelles de 339 industries pour lesquelles l'État américain avait recueilli une quantité suffisante de données brutes.

Quelques mois plus tard, lorsque les premiers chiffres ont commencé à sortir de l'ordinateur, c'est l'exultation qui m'envahit. Les calculs étalés sur le papier déversé par l'imprimante montraient avec une clarté éblouissante que la capacité intellectuelle d'une industrie, ou d'une entreprise au sein de cette industrie, se chiffrait avec précision.

Les chiffres relatifs à certaines industries ne font que confirmer ce que l'on savait intuitivement. Les fabricants de produits et de matériel de haute technologie – missiles téléguidés, engins spatiaux, ordinateurs et produits pharmaceutiques – se trouvaient en tête de liste QI des fabricants, tandis que des industries plus anciennes telles que le meuble, le textile, l'acier, le traitement des denrées alimentaires et la coupe forestière se côtoyaient au bas de l'échelle. (La coupe forestière se classe loin derrière la pêche, sans doute parce qu'on trouve des arbres sans avoir à appâter la scie mécanique.) Les entreprises accusant un ratio de capacité intellectuelle supérieur à la moyenne de leur industrie se démarquent également du peloton avec des marges et des gains plus élevés que ceux de la concurrence.

C'est une tâche relativement simple que de classer en trois catégories toute l'assise industrielle d'un pays :

- Les **industries à forte capacité intellectuelle** affichent un ratio de capacité intellectuelle de 40 pour cent et plus, ce qui signifie qu'au moins quatre travailleurs sur dix sont d'authentiques travailleurs intellectuels. On voit qu'il reste une marge assez grande pour accommoder d'autres types d'emploi : préposé à la réception, commis-comptable, manutentionnaires d'entrepôt.
- Les **industries à moyenne capacité intellectuelle** se groupent entre 20 et 40 pour cent sur l'échelle du ratio de capacité intellectuelle. C'est dans cette catégorie que se concentrent la plupart des joueurs de l'ancienne économie.
- Les **industries à faible capacité intellectuelle** se situent à moins de 20 pour cent sur l'échelle, ce qui signifie que moins de deux employés sur dix dans ces industries sont d'authentiques travailleurs intellectuels. Cette catégorie comprend ce que beaucoup estiment, à tort, être le secteur des services, des industries à bas salaire qui vont ramener le pays à un niveau de vie inférieur.

LES SURPRISES

Les résultats de mes recherches me réservaient de grandes découvertes. Qui aurait cru que les entreprises de pompes funèbres afficheraient un score supérieur à celui de la banque centrale des États-Unis, la Federal Reserve Bank ? Les conséquences possibles d'une telle comparaison pour les marchés financiers mondiaux ont de quoi faire grincer les dents aux économistes.

Les fournisseurs de services funéraires se classent d'ailleurs avant les organismes religieux. Et tous deux affichent un ratio de capacité intellectuelle supérieur à celui des agences de recouvrement et d'évaluation du crédit, lesquelles, croyez-le ou non, passent pour être les plus fins de tous les services financiers. Moralité possible : se faire inhumer avec son argent !

Voici une liste des grosses légumes des services financiers, classés du ratio de capacité intellectuelle le plus faible au plus fort :

1. Les assurances. Les salles de quilles et les résidences pour personnes âgées surclassent l'industrie des assurances, ce qui signifie que si l'industrie veut enfoncer ses concurrents, elle a beaucoup de rattrapage à faire pour comprendre les changements survenus dans le monde.
2. L'immobilier. Devance un peu les assurances, mais traîne loin derrière la chiropraxie.
3. L'industrie du courtage. L'emporte sur l'immobilier, mais je suis navrée que Wall Street soit si loin d'Hollywood en matière de connaissances intellectuelles. La raison en est sans doute que beaucoup d'intermédiaires de la finance, comme Michael Milken, sont soit en prison soit exclus des affaires. En fin de compte, ce sont probablement les industries du cinéma et du livre qui ont gagné davantage aux scandales de Wall

Street que les nombreux imprudents qui ont souscrit à des émissions douteuses.

4. Caisses d'épargne et de prêt. Que des survivants de l'immense débâcle de ces caisses (Savings & Loans) puissent afficher un ratio de capacité intellectuelle supérieur à la moyenne des maisons de courtage, voilà, je l'avoue, qui n'est pas pour me rassurer.
5. Les banques. Pour l'ensemble de l'industrie bancaire un QI plus fort que celui des caisses d'épargne, mais moins fort que celui des garderies d'enfants. Faut-il s'inquiéter ou rendre grâce de ce que les gens qui s'occupent de nos enfants soient plus intelligents que ceux qui s'occupent de notre argent ?
6. Les agences d'évaluation de crédit. Ce classement serait sans doute différent si on y faisait rentrer la nouvelle agence la plus grande du monde, le KGB. L'ancien organe soviétique d'espionnage s'est adapté à la nouvelle économie en fournissant des renseignements sur les Russes voulant faire des emprunts à la banque.

Outre ces faits divers intéressants, deux faits d'une importance capitale sautent aux yeux. Premièrement, les plus futés des fabricants n'arrivent pas à la cheville des plus performants du secteur des services. L'idée reçue selon laquelle les services se groupent au bas de l'échelle ne tient pas devant les preuves solides du contraire. Tout classement des industries les plus futées de l'Amérique du Nord doit tenir compte de l'ingénierie, de la recherche, de l'éducation et de la programmation informatique, tous membres en règle du secteur croissant des services.

Deuxième fait, et des plus surprenants : le vaste éventail d'industries de services inscrites à l'échelle QI, des hyperfutées en haut de l'échelle jusqu'aux industries à faible QI en bas. Et pourtant, on persiste à considérer les services comme un bloc homogène. Un grand nombre d'industries, très différentes les unes des autres, se trouvent ainsi objet de mépris, parce qu'elles n'ont pas, pense-t-on, assez de savoir-faire pour faire du « vrai travail » dans le domaine de la fabrication.

Les fervents de l'agriculture pensaient à peu près de la même façon au siècle dernier devant le spectacle des grandes usines qui transformaient le paysage du travail. Selon eux, les seuls emplois valables étaient ceux qui avaient la culture de la terre pour objet. Avec tout le respect qu'on doit à nos cultivateurs industrieux et sous-estimés, personne ayant du bons sens ne prônerait aujourd'hui le retour à la terre et à l'époque pré-industrielle.

Alors comment se fait-il que tant de gens intelligents insistent pour dire que les emplois du secteur des services sont en quelque sorte de qualité inférieure, sont un refuge pour ceux qui ne tiennent pas le coup dans la grande arène meurtrière de la fabrication ? Dans la nouvelle économie, les connaissances intellectuelles et les informations sont les sources du pouvoir, et elles se trouvent, en grande partie dans le secteur des services. Des 35 millions d'Américains qui se qualifient comme travailleurs intellectuels – ceux par qui le changement se fait – seulement 5 millions travaillent dans la fabrication.

INDUSTRIES AMÉRICAINES À FORTE CAPACITÉ INTELLECTUELLE

On voit donc que le gros des travailleurs intellectuels œuvrent d'une manière ou d'une autre dans le secteur des services. En voici quelques éléments d'élite :

1. Génie et architecture. Se classent deuxièmes *ex aequo* derrière une seule industrie, celle des « Professionnels divers », qui comprend les entreprises constituées d'une seule personne dotée d'un répondeur.
2. Instituts de recherche. Ces « boîtes à penser » méritent bien leur classement la plupart du temps.

TRAVAILLEURS INTELLECTUELS AMÉRICAINS : PAR SECTEUR

(1991)	
Total des travailleurs intellectuels américains	35 millions
Services personnels et commerciaux	19 millions
Fabrication	5 millions
Ventes : gros et détail	2,7 millions
Services financiers	2,4 millions
Administration publique	2,3 millions
Transports, Communications, Services publics	1,7 million
Construction	1,2 million
Extraction minière	217 mille
Agriculture	201 mille
Sylviculture et Pêche	37 mille

3. Laboratoires de recherche et de développement commerciaux. Moyennant finances adéquates, ces laboratoires mettront vos brillantes idées à l'essai et, moyennant finances encore plus importantes, se chargeront de leur mise en œuvre.

4. Consultants. Qu'on veuille bien me croire, les consultants ne sont pas des chômeurs en attente d'un vrai emploi dans la fabrication.

5. Radiodiffusion, télévision. Ce n'est pas qu'à Bernard Derôme et compagnie qu'on doit le classement de ce service parmi l'élite de la main-d'œuvre. Les voix et les visages qui se font entendre dans nos foyers ne sont que la partie audible ou visible de toute une armée d'experts techniques.

SECTEURS À MOYENNE CAPACITÉ INTELLECTUELLE

Au-dessous de la ligne démarquant les industries, les institutions, voire des économies entières, qui répondent à mes critères de forte capacité intellectuelle, voilà justement le gouvernement des États-Unis. Les contribuables s'en seraient peut-être doutés sans que je le leur dise. Mais quant au classement de chaque service de l'État, voilà qui exige des recherches un peu plus poussées. Le ratio de capacité intellectuelle permet maintenant de calculer les différents QI des Administrations avec la même précision qu'on obtient pour le secteur privé. Il est vrai qu'un tel exercice n'a d'intérêt que si on compte faire carrière dans la fonction publique.

Quoi qu'il en soit, voici le classement par ordre ascendant de services de l'État. En l'absence de données semblables pour le Canada et d'autres pays, toute comparaison serait désobligeante, mais le lecteur est libre d'en faire.

- Justice, ordre public et sûreté. Voici les seuls services à ne pas être admissibles aux secteurs à moyenne capacité intellectuelle. Pour qui a vu le comportement des agents de justice, que ce soit au niveau municipal, fédéral ou de l'État, lors des émeutes à Los Angeles au printemps 1992, il est évident que les fortes têtes se casent ailleurs dans l'Administration.
- Sécurité nationale et affaires internationales. Il est curieux que CNN semble souvent mieux au fait de ce qui se passe que les chefs de la CIA et du Département d'État (parmi les nombreux chefs d'État étrangers fidèles adeptes de CNN, on compte le roi Hussein de Jordanie et Boris Yeltsine de Russie). Il n'est guère surprenant que ce groupe ne figure pas parmi les meilleurs, quoi qu'en disent les Henry Kissinger de ce monde.

- Environnement et habitation. La piètre prestation de ces deux services depuis deux ans se passe de commentaire.
- Emploi. Il se peut que les membres de ce service possèdent plus de connaissances intellectuelles que ne laissent entendre les chiffres. Après tout, ils ont un emploi alors que tant d'autres n'en ont pas.
- Branches administrative et législative. Selon ce que nous rapportent les médias, ce classement serait sérieusement à revoir si jamais Dan Quayle parvenait jusqu'au Bureau ovale.

Et les services les plus futés :

Le fisc (IRS) et, bien qu'à moindre capacité intellectuelle que les services de pompes funèbres, la Federal Reserve Bank.

À en juger d'après la pagaille qui règne dans la plupart des pays aujourd'hui, il est raisonnable de supposer que leur gouvernement fonctionne selon un ratio de capacité intellectuelle semblable, ou encore plus faible.

Le meilleur exemple d'un chef futé dans un milieu dominé par la stupidité, c'est incontestablement Mikhaïl Gorbachev. Lui et une foule de ses confrères technocrates savaient depuis le temps de leurs études universitaires que le système soviétique ne marchait tout simplement pas, et ils avaient probablement deviné que le QI de leur gouvernement comportait un chiffre semblable à la température hivernale moyenne de la Sibérie. Mais ils ont gardé pour eux ces fâcheuses constatations tant qu'ils n'ont pas été en mesure d'y porter remède.

J'ai rencontré une physicienne nucléaire de la génération de Gorbachev qui m'a dit à bout portant que tous les étudiants de sa promotion savaient que le système devait disparaître, mais en attendant qu'un des leurs puisse relever la vieille garde sclérosée et détentrice des clés du pouvoir, ils ne pouvaient pas faire grand-chose. « Le changement était inévitable. Je le savais. On le savait tous. Il y a des gens de ma promotion qui sont devenus généraux. Eux le savaient. Mon père à moi était amiral, et lui le savait. »

Je n'ai pas calculé le QI de l'ancienne Union soviétique, pas plus, d'ailleurs, que celui de la nouvelle Russie. Mais la même méthode qui sert à mesurer des industries particulières, ou des services gouvernementaux, vaut également pour des pays entiers.

Le score du Canada est d'ailleurs très impressionnant, mais pour les mauvaises raisons. Le QI du Canada a monté en flèche parce que tant d'industries à faible capacité intellectuelle de l'ancienne économie ne sont plus là. Elles ont été massacrées ; il est vrai que seules les futées survivent au cataclysme économique. Mais il est significatif que des 339 000 emplois créés au Canada depuis sept ans, 304 000, donc 90 pour cent, sont dans des industries à forte capacité intellectuelle. Et plus de 27 pour cent des Canadiens sont déjà employés dans les industries à forte capacité intellectuelle, ainsi que le démontre le graphique de la page 178.

SECTEURS À PLUS FAIBLE CAPACITÉ INTELLECTUELLE

On peut maugréer tant qu'on veut contre l'État, contre certaines politiques et lois, mais il surclasse largement bien des industries quand il s'agit de ratio de capacité intellectuelle.

Ces industries peu dotées de connaissances intellectuelles sont faciles à repérer. Voici celles qui se classent dernières :

1. Salons de beauté et de coiffure. Le doctorat n'est pas indispensable au coiffeur. Malheureusement, il n'y a pas de mesure scientifique de la simple sagesse dispensée dans ces havres de paix, où on peut lire 7 Jours sans que les collègues ne vous regardent d'un air soupçonneux.

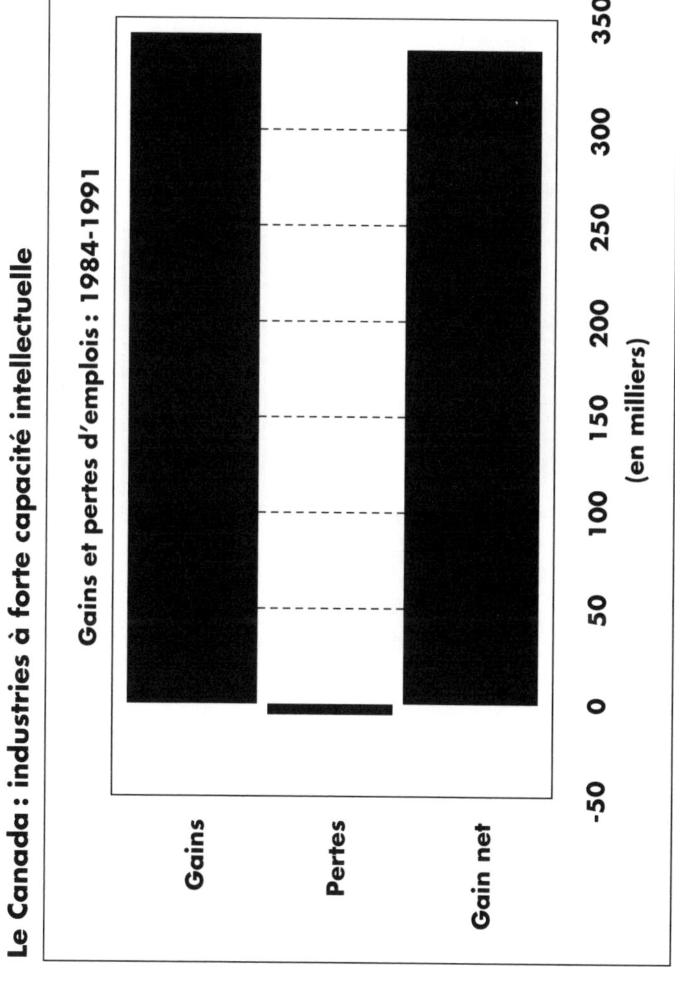
Le Canada : industries à forte capacité intellectuelle
Gains et pertes d'emplois : 1984-1991
Gains
Pertes
Gain net
-50
0
50
100
150
200
250
300
350
(en milliers)

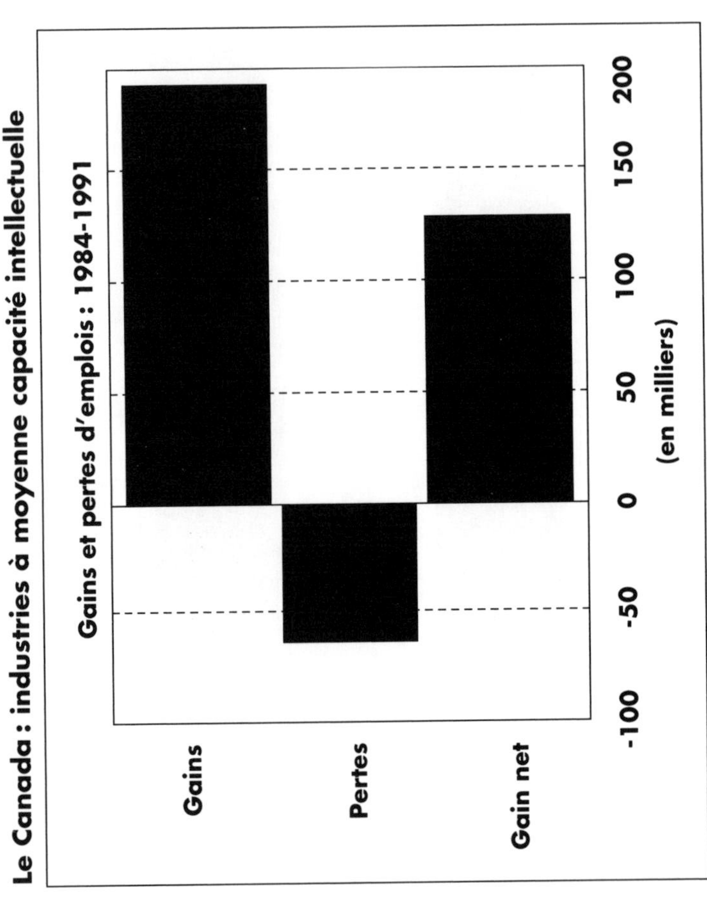
Le Canada : industries à moyenne capacité intellectuelle
Gains et pertes d'emplois : 1984-1991
Gains
Pertes
Gain net
-100
-50
0
50
100
150
200
(en milliers)

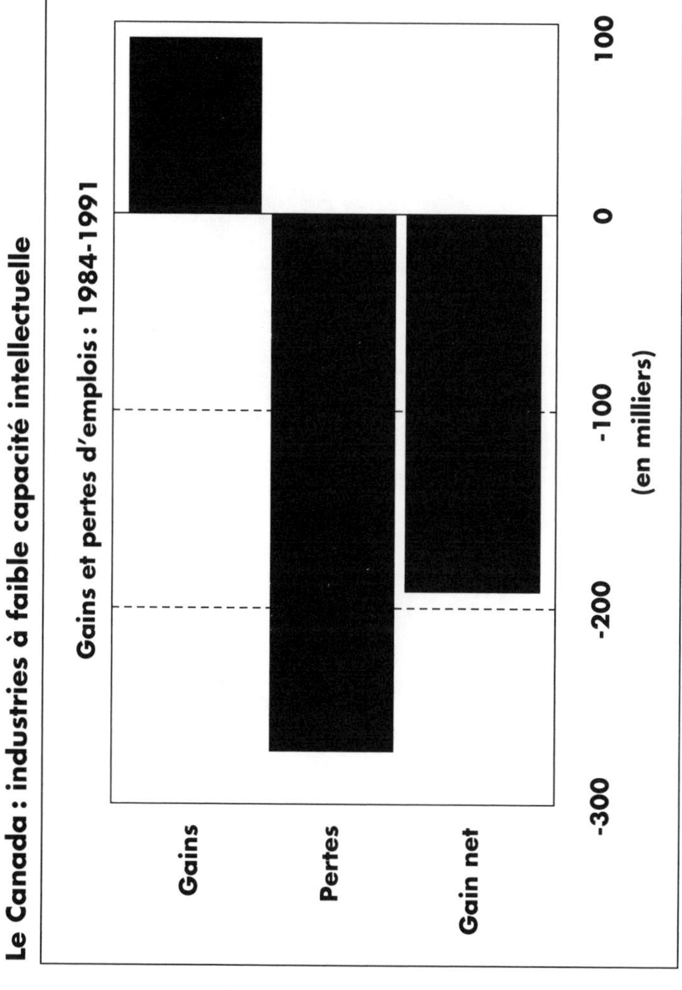
Le Canada : industries à faible capacité intellectuelle
Gains et pertes d'emplois : 1984-1991
Gains
Pertes
Gain net
-300
-200
-100
0
100
(en milliers)

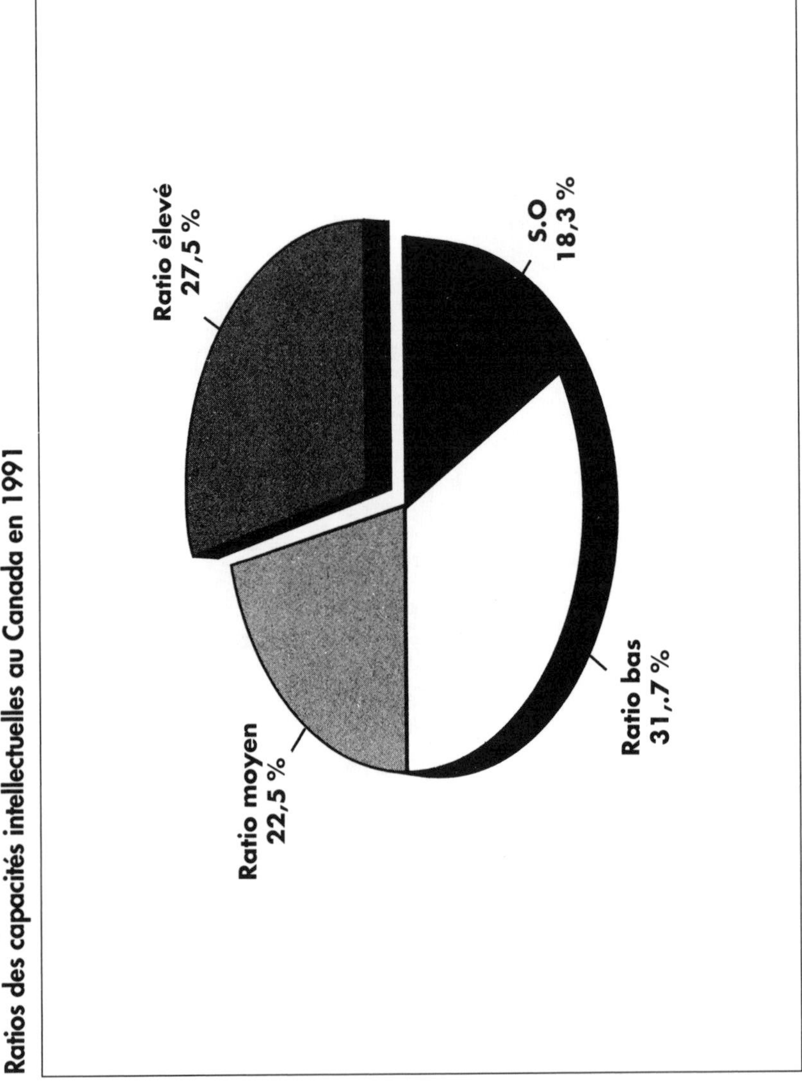
Ratios des capacités intellectuelles au Canada en 1991
Ratio élevé
27,5 %
S.O
18,3 %
Ratio moyen
22,5 %
Ratio bas
31,.7 %

2. Concessions d'automobiles. À plus faible capacité intellectuelle que les cordonneries. Mais combien de fois avez-vous une panne de chaussures sur l'autoroute ?
3. Cordonneries. Je n'ai pas dit que les cordonniers se classent parmi les plus brillants, mais qu'ils sont plus futés que les concessionnaires d'automobiles.
4. Agence de détectives. Filer un conjoint errant ou signifier une assignation, voilà qui exige sans doute une compétence caractérisée, mais qui ne suppose guère de gymnastique mentale.
5. Vente au détail. On ne sera pas surpris de voir les pharmacies se classer en tête de ce groupe. Elles sont les seules cependant à afficher un QI même moyennement fort. Tous les autres sont au bas de l'échelle.

RECENSEMENT

Je n'ai pas encore rencontré de cadre supérieur qui ne tienne pas à savoir exactement où se classe son entreprise dans la ligue des connaissances intellectuelles, ou qui ne cherche pas à savoir quel concurrent détient un QI plus élevé. On serait vraiment étonné de constater à quel point certaines entreprises se démènent pour avoir un meilleur classement !

Prenez l'exemple d'une caisse d'épargne qui a demandé mes conseils. J'ai expliqué à la direction que c'était le nombre de travailleurs intellectuels au service de la caisse qui constituait l'élément-clé du QI de l'entreprise (et non pas le simple fait d'avoir survécu, avec une réputation intacte, à la débâcle des caisses d'épargne). Et les directeurs de se précipiter pour consulter leurs tableaux d'effectifs. Ils voulaient identifier jusqu'au dernier employé ayant suivi un cours de comptabilité au secondaire.

Un premier vice-président qui, depuis une bonne vingtaine de minutes, s'affairait fiévreusement dans son coin à faire des calculs complexes, m'annonce fièrement qu'il venait de calculer avec la plus grande précision le QI de la maison au dos d'une enveloppe. Comme c'était à prévoir, il me cite un chiffre faramineux qui dépassait de 50 pour cent la moyenne de l'industrie !

Avec le plus grand tact possible, je lui explique qu'il simplifiait outre mesure ses calculs, ce qui l'amenait à brouiller son recensement. Les vrais chiffres révélaient que le QI de la caisse était non seulement inférieur à celui de l'ensemble de l'industrie, mais qu'il diminuait depuis des années. C'était bien le cas de dire : « L'ignorance est chose dangereuse. »

Une fois déterminé le classement de l'employeur, la question suivante est de savoir comment s'y prendre pour déterminer l'intelligence collective de l'entreprise ou de l'institution, sans pour autant en disséquer à vif les dirigeants. (Ce qui pourrait contenter des employés mécontents, mais qui ne serait guère scientifique et une mauvaise réclame pour ma pratique de consultante !)

Quant à savoir si on respecte les critères pour être qualifié travailleur intellectuel, laissons de côté pour l'instant toute question de scolarité. Celle-ci est d'un grand prix, certes, mais si avec un doctorat vous êtes chauffeur de taxi, les critères ne sont pas respectés. Car l'important est de savoir à quelles fins vous, et votre employeur, utilisez votre cerveau, de savoir en fait si vous êtes en mesure d'utiliser vos connaissances acquises.

Aux premiers temps des transports aériens, les lignes aériennes employaient des infirmières diplômés comme agentes de bord. Voici donc ces personnes très spécialisées à s'affairer auprès des passagers, à apporter une couverture, une tasse de café, et cela pendant quatorze heures de suite. En cas d'urgence, il est certes rassurant de pouvoir compter sur des soins professionnels mais, les lignes aériennes l'ont appris depuis, il est possible de les faire donner par des personnes qui n'ont pas consacré de longues années à une formation professionnelle coûteuse.

Voilà qui sert à démontrer que certaines situations sont plus lentes à changer que d'autres. Si les infirmières d'hôpital et d'autres travailleurs spécialisés avaient le pouvoir d'utiliser leurs connaissances à des fins productives, ils bonifieraient l'intelligence collective de leur institution et, par la même occasion, ils seraient mieux à même de fournir les soins modernes auxquels on s'attend tous, et à un prix abordable.

LES ACTIFS INTELLECTUELS

Comme rien n'est plus crucial pour l'entreprise que ses actifs pensants, il est normal que mieux l'entreprise les exploite, meilleures sont ses chances de survivre et de prospérer dans la nouvelle économie. Mais il est tout aussi important de quantifier le rendement de ces actifs. Il n'y a rien de plus agaçant qu'un chef de direction qui se vante de la brillante qualité de ses cinq cents ingénieurs et scientifiques, alors qu'on sait pertinemment que 450 d'entre eux passent leurs journées à lire la page sportive ou à faire des mots croisés. C'est comme si General Motors s'enorgueillissait du nombre de ses usines alors que beaucoup d'entre elles sont sous la housse.

De même que ce ne sont pas tous les soi-disant actifs de l'ancienne économie qui avaient de la valeur pour une industrie qui ne savait pas en profiter, ce ne sont pas tous les travailleurs intellectuels qui valent leur salaire. Et le fait d'employer un grand nombre de gens intelligents n'améliore en rien les chances de l'entreprise. Qu'un abattoir embauche une foule d'avocats sans emploi, la productivité des actifs pensants n'en sera pas avancée et le gaspillage sera monumental si l'entreprise ne développe pas une méthode neuve et radicale de tuer les poulets. Car c'est la productivité qui détermine si toute cette matière grise comporte une signification réelle.

Dans tous les coins et recoins de l'économie tant nouvelle qu'ancienne, il y a des gens scolarisés, comme le chauffeur de taxi détenant un doctorat, qui ne font pas servir leur matière grise à des fins productives. Cependant, c'est dans l'ancienne économie, évidemment, que se trouvent les grands coupables.

Dans l'ancienne économie, il était normal qu'une entreprise calcule le rendement de l'actif. Ce calcul s'effectuait d'après les bénéfices qu'on estimait pouvoir dégager des usines, des bâtiments ou autres dans lesquels on avait beaucoup investi. Dans la nouvelle économie, ce que j'appelle le **Rendement de l'actif intellectuel**MC – c'est-à-dire la mesure dans laquelle les connaissances intellectuelles sont activement mises à contribution – peut se calculer avec autant de précision que le ratio de capacité intellectuelle.

CONNAISSANCES INTELLECTUELLES = POUVOIR ET ARGENT

Vous en avez assez de travailler dans une industrie à faible capacité intellectuelle ? Vous voulez savoir où en sont les voisins ? Vous voulez tout simplement en savoir plus long sur le lieu où vous passez le plus clair de votre temps ? Voyez donc le tableau des classements à la fin de ce livre. La prochaine fois qu'un chasseur de têtes vous proposera l'occasion en or, il pourrait vous être utile de savoir exactement dans quoi on vous invite à vous engager. Les ratios intellectuels ne sont pas seulement un système de classement. Ils servent aussi de repère, vous permettant de mettre le cap sur la réussite ou l'échec dans la nouvelle économie.

N'allez pas croire pour autant que vous devez automatiquement refuser un emploi dans une industrie à capacité intellectuelle relativement faible. Les occasions y foisonnent pour des gens qui savent en tirer parti, surtout dans les entreprises résolues à améliorer leur capacité intellectuelle collective.

À titre d'exemple, prenez une industrie aussi primaire que celle de la quincaillerie, de la plomberie et du chauffage. Comme il fallait s'y attendre, elle affiche un ratio de capacité intellectuelle faible : onze. Cela signifie que seulement onze personnes sur cent sont de vrais travailleurs intellectuels. Et pourtant il se passe au sein de cette vieille industrie une révolution technologique. Le dernier cri, ce sont les toilettes futées. Les Japonais ont mis au point un sanitaire qui vous contrôle sur place pression sanguine, pouls, température et poids. Des fabricants nord-américains sortent déjà des merveilles technologiques munies de siège chauffant, de contrôle informatisé de température, d'ajustage d'arrosage et de séchoir.

Et si vous pensez que ce sanitaire-là est futé, quel ne sera pas votre émerveillement en vous glissant dans la baignoire de demain ! Celle-ci a déjà franchi le stade d'idée sur la planche à dessin, elle s'emplit automatiquement d'une eau dont vous aurez vous-même réglé la température. Et il n'est même pas nécessaire d'être à la maison. De votre automobile coincée dans un embouteillage, il suffit d'un coup de cellulaire pour qu'un bain délicieusement chaud vous attende à votre arrivée.

De même que la télé en couleur est devenue un produit dont le consommateur ne voulait plus se passer, ce qui a nécessité le remplacement de millions d'appareils noir et blanc, les fournitures de salle de bain pourraient ouvrir un vaste marché de remplacement. Mais attention, il faut se rappeler l'une des règles importantes de la vie : ne jamais faire l'acquisition d'un article ayant un QI supérieur à celui de l'entreprise qui l'a fabriqué.

Ce qui me ramène à une question posée tantôt. Et si vous vous trouvez seul dans un milieu à capacité intellectuelle relativement faible ? Pouvez-vous encore faire une différence ? Ou feriez-vous mieux de renoncer et de compter les jours qui restent avant de toucher votre premier chèque de retraite ?

Je réponds que les connaissances intellectuelles servent à améliorer le potentiel de toute entreprise. Il faut seulement s'assurer d'être assez haut placé pour faire remuer la boîte sans se faire mettre dehors. Si la volonté de changement fait défaut, vous avez un grave problème. Il n'y a pas de moyen plus sûr de se donner des ulcères que d'être le seul agent dynamique au sein d'une entreprise résolument tournée vers le passé.

La bonne nouvelle, c'est que les travailleurs intellectuels sont plus aptes que d'autres à tenir fermement leur emploi. Alors que le chômage en général dépasse les dix pour cent dans bien des régions, le taux des travailleurs intellectuels sans emploi n'est que de 2 à 3 pour cent. Il est bon de se rappeler aussi que plus le ratio de capacité intellectuelle d'une industrie est élevé, plus forte est la tendance vers les salaires élevés. Les entreprises prospères, habituées à mettre le prix pour des effectifs performants, sont moins susceptibles de réagir lorsque d'autres viennent réclamer leur part du gâteau. De toute façon, tout vaut mieux plutôt que de travailler pour un employeur dans une industrie à faible capacité intellectuelle qui passe le plus clair de son temps à retrancher et à comprimer dans le seul but d'assurer la survie de l'entreprise. Vous saurez que vous en avez pour très peu de temps dans une entreprise où le patron met tout sur le compte du salaire minimum : « Ah, si seulement on pouvait retrouver le bon vieux temps où on ne payait nos gens que trente cents par jour, peut-être qu'alors on pourrait devenir concurrentiel. »

LA GESTION DES TRAVAILLEURS INTELLECTUELS

Comme le savent beaucoup de gestionnaires, les travailleurs intellectuels ne répondent pas aux techniques de gestion qui marchaient bien dans le cadre de l'ancienne économie. D'abord, comment va-t-on dire quoi faire à des gens qui ont des connaissances plus spécialisées que les vôtres ?

Le mode usuel de gestion de l'ancienne économie comportait une hiérarchie verticale où le chef commandait à des subordonnés. Tout travailleur qui ne s'alignait pas sur les procédés et méthodes de l'entreprise se voyait vite exclu, à moins d'une protection syndicale contre des actes arbitraires de la part de la direction. Dans l'ancienne économie, direction et travailleurs étaient souvent à couteaux tirés ; la confrontation faisant partie intégrante de l'organisation des sociétés.

Les états financiers de l'entreprise démontraient sans équivoque que la main-d'œuvre figurait parmi les charges d'exploitation, que souvent elle en était la charge principale, il fallait donc la réduire par tous les moyens possibles. Si, dans l'ancienne économie, on ne figurait pas comme actif (et les vérificateurs de l'entreprise affirmaient que la main-d'œuvre n'en était pas un), alors, logiquement, on figurait comme passif, qu'il fallait gérer grâce, souvent, aux mécanismes de la convention collective. Terrains, usines, machinerie et matériel, voilà les vrais actifs de l'entreprise, et les analystes en calculaient soigneusement le rendement. Les connaissances intellectuelles ne rentraient pas en ligne de compte.

Contrairement aux anciens actifs, dont la valeur se dépréciait avec le temps, la valeur des travailleurs intellectuels pourrait même accuser une appréciation avec la mise en application des derniers progrès technologiques survenus dans leur domaine. La rémunération au rendement, la mise sur pied d'équipes de production où la ligne de démarcation entre chef et subordonné s'estompe à devenir invisible, voilà qui amenera progressivement une révolution dans les techniques de gestion et de comptabilité.

CHAPITRE 9

Sur les genoux de maman

Imaginez que vous êtes un visiteur dans un pays étranger et que vous êtes spectateur d'un jeu d'équipe aux manœuvres complexes. On dirait du baseball, mais, de toute évidence, ce n'est pas cela. Un joueur est debout sur un monticule et lance de toutes ses forces une grosse balle blanche vers un type accroupi qui porte un masque et toute une panoplie protectrice. Un autre joueur, lui aussi masqué et protégé, habillé d'un costume bleu trop grand, se penche sur le premier type masqué. Juste en avant d'eux et un peu sur le côté se tient un joueur de l'équipe adversaire armé d'un grand bâton avec lequel il tente de frapper la balle qui passe en bolide.

La plupart du temps il ne se passe pas grand-chose mais, de temps à autre, le frappeur arrive à frapper la balle qu'il dirige vers un panier au milieu du terrain, après quoi il prend les jambes à son cou et détale à toute vitesse le long d'une ligne blanche, enjambe quatre haies, exécute un saut périlleux, puis quitte le terrain.

Spectateur perplexe, vous n'y comprenez rien. Quelles sont les règles du jeu, et pourquoi la foule applaudit-elle à un moment donné ?

C'est pas mal le même sentiment qu'on éprouve devant les transformations économiques qui se produisent autour de nous. On dirait que les règles du jeu se modifient en cours de partie et que ces nouvelles modifications demeurent sans explication.

Il suffit de regarder deux ou trois parties de baseball pour savoir distinguer le lanceur du frappeur. Et à la longue, les statistiques soigneusement compilées pour mesurer la performance des joueurs – nombre de coups marqués, de coups manqués, les parties gagnées, les parties perdues et les pourcentages de ceci et de cela – on finit par leur trouver un sens (mais qu'un frappeur qui manque son coup trois fois sur quatre gagne tout de même 3 millions de dollars par an, voilà qui m'échappe toujours). Mais si, comme dans l'exemple imaginaire cité ci-dessus, les règles du jeu changent et que les statistiques habituelles n'indiquent plus avec précision les perdants et les gagnants ? Il n'est plus possible alors d'être un joueur actif – ni même un spectateur averti – dans un monde où les points de repère ont changé de place.

Avec les années, des séries de moyennes et de ratios ont été savamment conçues pour mesurer l'économie. Utilisées de façon intelligente, elles fournissaient un bon diagnostic de la santé d'une entreprise, d'une industrie, voire d'une économie entière. Mais, nous l'avons déjà vu, comme les règles du jeu ont changé, il nous faut un nouvel ensemble de moyens de mesure. En l'absence de celui-ci, on ne peut savoir avec certitude dans quel sens orienter les efforts et les investissements, ni quelles activités ont de l'avenir ou n'en ont pas. On ne peut savoir quels joueurs méritent leur salaire de 3 millions de dollars, ni lesquels n'en méritent que 300 000 $, ni ceux qui seraient trop rémunérés à 3 000 $ par an.

Dans l'ancienne économie, les entreprises les plus performantes se reconnaissaient à l'ampleur et à la qualité de leurs immobilisations et de leurs finances : matériel, outillage, terrains, bâtiments, encaisse figurant au bilan. Toute une série de ratios financiers et de pratiques comptables s'est formée pour mesurer ces attributs. Elle permettait d'évaluer la croissance d'une entreprise, de déterminer si celle-ci avait une valeur réelle, si, en somme, elle avait de l'avenir.

Mais dans la nouvelle économie, les joueurs clés ont des actifs d'un genre différent. Une entreprise de logiciels ne possède pas d'immenses usines, de vastes parcs de camions. Ses meilleurs biens sont bipèdes, humains et très mobiles, et rebelles à l'évaluation selon l'ancienne mesure. Essayez donc, en utilisant les anciens critères financiers, de rendre compte d'une compagnie ayant connu une réussite aussi phénoménale que Microsoft. Très vite vous vous exclamez : « Whoâ ! cette compagnie-là ne rime à rien ! Bien fou qui voudrait y mettre son argent ! Elle n'a aucune chance de durer. »

Comment donc va-t-on faire pour mesurer la nouvelle économie ? Comment faire pour savoir quelles compagnies, quelles industries et quelles économies sont en voie de réussir ? Y-a-t-il moyen de dépasser les anciennes statistiques autrefois si essentielles à la compréhension du fonctionnement de notre économie ?

Plus qu'une simple question théorique, qu'une aide pour les seuls économistes, comptables et statisticiens qui élaborent leurs calculs dans les eaux profondes et bourbeuses des chiffres et projections, la mesure précise est absolument indispensable au fonctionnement quotidien de la nouvelle économie. À défaut d'une telle mesure, comment une banque ou un fonds de retraite peuvent-ils savoir à qui prêter de l'argent ? Comment un assureur peut-il évaluer le risque et concevoir des produits nouveaux et valables ? Certainement pas avec les anciennes mesures qui faussent la perception des activités dynamiques comme, d'ailleurs, de celles qui ne le sont pas.

ANCIENNES MESURES ET RÉALITÉS NOUVELLES

Ce n'est pas à dessein que les banques, les courtiers, l'État dressent des obstacles. Pour autant que je le sache, il n'y a pas de grand complot visant à endiguer les progrès, pas de volonté ferme de limiter la croissance économique, de fermer aux nouvelles industries l'accès qu'il leur faut au financement comme à l'investissement. C'est que, comme le spectateur de baseball nouvelle version dans le pays étranger, beaucoup d'intermédiaires financiers, ainsi que de nombreux fonctionnaires, ne comprennent pas les nouvelles règles du jeu. Ils ne saisissent plus la finalité du jeu et sont incapables de se figurer comment l'arbitre tient le score.

Supposons, par exemple, que banquiers et assureurs ont passé des années à formuler des mesures précises de la valeur d'un joueur de baseball ; puis ils se trouvent devant l'impossibilité d'appliquer ces formules à un autre sport. Comment pourraient-ils savoir si la vedette du football américain, Joe Montana, mérite son salaire ? Des spectateurs versés dans les subtilités du baseball seraient bien embarrassés en regardant un match de football avec les mêmes attentes.

« Ce sport ne rime à rien », trancherait le mordu du baseball. « Les seuls critères que je connaisse s'appliquent au baseball, et chaque fois que je veux les appliquer au football, je tombe dans le ridicule. Qui est pénalisé pour une passe manquée ? En quoi un but sur coup franc ressemble-t-il à un coup sûr ? Et si le quart-arrière Montana est effectivement au marbre, comment dois-je figurer sa moyenne de coups mérités ? Peut-être qu'en réalité Montana est le receveur, parce qu'on dit toujours du type portant le masque qu'il est le quart-arrière du baseball. Décidément le football est le sport le plus épais que j'aie eu à évaluer. Où est le gars qui vend les hot-dogs ? »

De même, les économistes se trompent magistralement chaque fois qu'ils utilisent des critères financiers, destinés à mesurer les performants des anciens cercles, pour juger de la nouvelle économie. Les vieilles méthodes ne permettent pas de savoir si telle entreprise musclée de la nouvelle économie l'emporte sur telle autre, si telle industrie a l'étoffe d'un champion ou si c'est une traînarde. Et elles sont totalement impropres à fournir une évaluation des perspectives d'une économie toute entière.

Voici pourquoi j'ai mis au point vingt-cinq moyens de mesure qui feront l'affaire. Ces nouveaux moyens permettent d'évaluer les hauts et les bas de la nouvelle économie avec la même précision que les anciens moyens le permettaient pour l'ancienne économie. Le plus beau de l'affaire, c'est que les moyens utilisés pour mesurer la performance des sociétés peuvent servir tout aussi bien à évaluer toutes les situations : municipalité, province, état ou pays.

Nous avons déjà eu l'occasion de constater l'utilité du ratio de capacité intellectuelle que j'ai conçu en vue de classer le QI des sociétés, ainsi que du Rendement de l'actif intellectuel qui montre si une entreprise utilise sa matière grise à des fins productives. Par le passé, ces choses ne s'évaluaient que d'après l'anecdote et l'ouï-dire. Il est facile de constater que Merrell Dow Pharmaceuticals Inc., lancé à fond dans le marché de la médication transdermique, faisait travailler les cerveaux. Mais qu'en est-il de toutes ces jeunes entreprises pharmaceutiques qui cherchent des investisseurs et des employés intelligents ? La mesure des connaissances intellectuelles fournit un indice précieux pour savoir si ces entreprises ont vraiment de quoi se justifier.

Il y a bien des moyens de prévoir quelles entreprises sont destinées à connaître un bel avenir, comme de prévoir lesquelles risquent de ne jamais quitter la case de départ. L'important est de se rappeler les leçons de l'enfance, ces simples conseils qui vous servaient de guide sur le chemin de la vie, chemin semé d'embûches de toutes espèces.

LES CONSEILS DE MAMAN : PREMIÈRE PARTIE

« NE PAS JUGER D'APRÈS LES APPARENCES. » Le nouveau moyen le plus important pour juger si une entreprise est promise à un vrai avenir est celui que j'appelle le **ratio déclin-croissance**MC (RDC). Ce ratio met la proportion des ventes destinées à la nouvelle économie dynamique en regard de celles qui sont réalisées dans l'ancienne économie anémique. Pour toute compagnie, le RDC (les revenus d'entreprise réalisés dans des industries n'ayant pas encore atteint un plafond structurel, exprimés en pourcentage des revenus tirés des secteurs en déclin) met aussi en relief avec une clarté impitoyable la performance de la direction.

Si jamais vous vous faites dire qu'il est impossible de mesurer la performance des gestionnaires, c'est qu'on n'a jamais vu ni entendu parler du RDC. À défaut de cet outil, investisseurs et employés peuvent se faire avoir.

Songez donc combien il est facile à la direction de se donner belle allure, surtout au premier coup d'œil. Il suffit d'une équipe acharnée à vendre des éléments majeurs de l'entreprise, à réduire les coûts et à gonfler les bénéfices à court terme. Voici, n'est-ce pas, une direction aux fins très précises, avec une mission à accomplir et, de ce fait, immédiatement séduisante pour les mal informés et les non-initiés.

Mais ô surprise ! Ce n'est pas la bonne mission, quoique les actionnaires ne risquent de s'en rendre compte que trop tard. Donner son aval à une direction vouée à la réussite par les coupures et la compression, cela revient à donner sa bénédiction à un escadron d'aviateurs kamikazes en partance pour leur mission suicidaire. Est-ce qu'un banquier qui se respecte voudrait prêter 50 M $ à un aviateur téméraire sans aucun sens de l'orientation et dépourvu de boussole ? Ce serait ridicule à coup sûr, mais voilà justement ce qui se passe. Et quand les journaux publient la nécrologie d'une autre société décédée, banquiers et actionnaires se lamentent de leur malchance – ou de l'état déplorable de l'économie, ou du mauvais gouvernement – en contemplant l'inhumation de leurs dollars.

Supposons deux entreprises dans l'alimentation. Toutes deux affichent un chiffre d'affaires annuel d'un milliard environ et toutes deux subissent des transformations douloureuses depuis cinq ans. Leur ratio d'endettement (l'endettement comparé à leurs capitaux propres) ne s'écarte pas de la moyenne de l'industrie. Les deux entreprises font de bons bénéfices à réchauffer le cœur de tout investisseur. Mais, comme disait Maman, les apparences sont parfois trompeuses.

L'une des entreprises – je vais l'appeler les Saucisses réunies – est en pleine ascension. L'autre, appelée le Pain succulent, a plafonné et se dirige vers le néant. Mais comment distinguer entre la gagnante et la perdante ?

Les Saucisses réunies étaient autrefois dans le conditionnement de la viande, alors que la société s'appelait les Boucheries Consolidées inc. Elle avait grandement investi dans le secteur laitier et s'était diversifiée dans la crème glacée, les biscuits et les craquelins. Puis les cadres rachètent l'entreprise et, à l'étonnement général, ils changent de dénomination sociale, et commencent à vendre l'une après l'autre les divisions qui avaient fait la force des Boucheries Consolidées inc.

À voir ces transformations agressivement voulues, les gens de la ville hochent de la tête et se demandent pour combien de temps l'entreprise va pouvoir tenir le coup. « Pourquoi vendre une affaire laitière rentable pour se lancer dans l'abattage des poulets ? Ces types ont des cervelles d'oiseau ou quoi ? »

Mais ce n'est rien en comparaison de l'orgie d'acquisitions qui va suivre. Les cadres utilisent l'argent réalisé sur la vente des anciennes divisions pour acheter une dizaine de petites entreprises fabriquant sauces et vinaigrettes. Les biscuits et les craquelins, très rentables, on les bazarde à la société Pain succulent. Que ne fut l'étonnement de tous lorsque le produit de la vente est réinvesti immédiatement dans le fromage, seul élément du secteur laitier que les cadres aient retenu.

Le fil directeur – et le seul qui compte vraiment – de la nouvelle stratégie des Saucisses réunies consiste à abandonner les affaires reliées à l'ancienne économie pour s'insérer astucieusement dans la nouvelle. Les exploitations vendues par la société se situaient, malgré leur rentabilité, sur l'autre versant de la montagne. Celles qui les remplacent sont des entreprises dotées d'un bon potentiel de croissance dans la nouvelle économie, fournissant ainsi aux Saucisses réunies une base solide pour l'avenir.

Le ratio déclin-croissance aurait montré qu'une partie grandissante des revenus des Saucisses réunies provenaient d'entreprises encore en ascension. Chaque fois que les Saucisses réunies se départissaient d'une division apparentée à l'ancienne économie, le ratio accusait une nette amélioration.

Le Pain succulent, par contre, ne démord pas de ses pain et beurre, advienne que pourra, et va jusqu'à faire de nouvelles acquisitions d'entreprises spécialisées dans le craquelin, où son expertise est reconnue. Peu importe à la direction débranchée du Pain succulent que le craquelin – ainsi que tous les autres produits de l'entreprise – plafonne depuis longtemps, ou que l'entreprise demeure benoîtement insensible aux déplacements majeurs qui se produisent dans ses marchés principaux. Tout ce qui compte pour le Pain succulent est le résultat net.

Mais pour combien de temps encore ? Si le ratio déclin-croissance de la société avait prévenu les banquiers, les investisseurs et les employés que Pain succulent avait de sérieux ennuis bien avant que la baisse réelle – et inévitable – des bénéfices ne s'amorce, ils auraient sûrement placé leur argent ailleurs. Et si les cadres du Pain succulent s'étaient rendu compte des blessures qu'ils s'infligeaient, ils auraient pris des décisions bien différentes. Après tout, peu d'officiers de l'équipage ont intérêt à couler leur vaisseau en se torpillant eux-mêmes.

LES CONSEILS DE MAMAN : DEUXIÈME PARTIE

« NE PAS METTRE TOUS SES ŒUFS DANS LE MÊME PANIER. » On s'entend pour dire, dans le monde réel, que la meilleure façon pour une entreprise de connaître la prospérité est de faire des produits que le consommateur veut effectivement acheter. Les entreprises qui mettent en doute cette vérité fondamentale n'ont pas la vie longue en général, à moins d'un soutien apporté par la parenté et par les contribuables hyperindulgents.

Mais, ainsi que General Motors, Ford, IBM, et d'innombrables autres entreprises ont fini par découvrir, les produits réclamés par le consommateur d'aujourd'hui ne sont plus ceux qui se vendaient comme des petits pains chauds par le passé. Quand avez-vous vu pour la dernière fois faire la queue devant un marchand corsetier ? Quant à cela, quand avez-vous vu une boutique du genre pour la dernière fois, ou un corset ?

Je me souviens d'avoir souffert toute une année à l'université à suivre des cours de gestion des affaires. On nous a enseigné de petites choses utiles comme la gestion des stocks, l'importance de bonnes relations de travail, et je ne sais combien de méthodes pour financer la croissance de l'entreprise. Mais quant à la raison d'être même de toute vie d'entreprise, à savoir, que l'entreprise ne peut exister que par des produits que le client veut réellement acheter, pas la moindre petite discussion.

Pour évaluer si une entreprise est apte à concevoir des produits neufs susceptibles de trouver acheteur, il n'y a pas meilleur moyen que d'en compter les brevets. Le **ratio brevet-cours de l'action**^MC^, qui divise le nombre de brevets par le cours de l'action de l'entreprise, est un des moyens les plus sûrs pour évaluer de telle aptitudes.

Supposons deux entreprises dans l'industrie des plastiques. Toutes deux affichent des revenus d'environ 300 M $ par an, et leurs actions se négocient autour de 50 $. Mais qu'est-ce que l'investisseur obtient pour ses 50 $? La réponse à cette question varie considérablement selon l'entreprise.

Supposons que l'entreprise A n'ait déposé que trois brevets au cours de l'année qui vient de prendre fin, alors que sa concurrente, l'entreprise B, en a déposé trente. Sur laquelle des deux l'investisseur avisé va-t-il miser ? Et qui d'ailleurs voudrait investir dans une entreprise sans d'abord chercher à savoir si l'entreprise investit en elle-même ? Voilà des questions que je pose sans arrêt parce que la plupart des investisseurs ne le savent vraiment pas. Si les analystes tenaient compte, comme moi, des ratios brevet-cours de l'action ainsi que des autres indicateurs de réussite financière, il y aurait moins de mauvaises surprises.

Je me plains toujours de ce que je ne gagne jamais rien à la loterie, et les amis me répondent toujours que mes chances seraient meilleures si je voulais bien acheter un billet. Il en va de même dans le monde de l'entreprise. Si celles-ci ne font pas de demandes de brevets ou de marques de commerce – l'équivalent des billets de loterie – alors elles ont peu de chances de remporter le gros lot avec des produits neufs.

Le ratio brevet-cours de l'action nous apprend en l'occurrence que l'investisseur qui détient l'action à 50 $ de l'entreprise A paie plus de 16 $ chacun des brevets déposés. Celui qui détient l'action de l'entreprise B paie un peu plus de 1,60 $ le brevet. On n'a pas besoin d'être calé en maths pour constater quel investisseur en a plus pour son argent, ni pour savoir laquelle des deux entreprises est mieux placée pour trouver le chemin obscur qui mène à la réussite.

La démarche suivante consiste à mesurer la productivité des innovations d'une entreprise. Pour que les brevets valent plus que le papier du certificat qui en atteste l'existence, il faut qu'ils se concrétisent par de nouveaux produits. C'est à ce stade qu'interviennent les très utiles ratio **recherche-développement** et **ratio R & D-brevet**.

Tout le monde sait que le produit fait l'objet d'abord de la recherche, ensuite du développement. Mais il y a des entreprises qui s'y prennent à rebours. Elles ne sauraient distinguer entre la recherche et le développement quand bien même il irait de leur existence. Et, chose ironique, il y va effectivement de leur existence.

Trop d'entreprises se permettent de croire qu'un nouveau produit signifie tout au plus une version légèrement modifiée de leur ancien produit rentable. Combien de fois a-t-on vu « Nouveau et amélioré » sur la même boîte archiconnue de détersif, de dentifrice, de friandises ? Si tout le budget R & D est consacré au seul développement, l'avenir s'annonce lugubre pour la compagnie en cause. Pour un fabricant de confiserie, c'est bien beau de faire travailler tous ses scientifiques à donner une saveur de cantaloup à la même gomme de toujours. Mais les gains potentiels qui proviendraient de produits inédits et propres à vaincre la concurrence vont sûrement supplanter l'avantage concurrentiel que procure un vieux produit requinqué.

Il n'est que de s'imaginer ce qui arriverait à une compagnie de disques si elle persistait à présenter ses vinyles de 45 tours estampillés « Nouveau et amélioré », alors que tout le monde se précipite sur les disques laser et les cassettes à enregistrement numérique. C'est à faire frémir d'horreur l'expert en marketing. Et pourtant, si absurde que puisse paraître cet exemple de compagnie de disques fictive, trop d'entreprises s'obstinent à en faire autant, longtemps après que le marché ait signalé son désir d'autre chose.

Si General Motors avait opté pour la traction avant et d'autres innovations quand on en a fait la proposition à ses cadres supérieurs, le colosse de l'automobile aurait sûrement conservé une plus grande part du marché en déclin de l'Amérique du Nord, et il aurait gagné des millions supplémentaires tout en préservant des milliers d'emplois. GM, cependant, a décidé que le public consommateur continuerait d'acheter tout ce qu'il lui plaisait de vendre, en l'occurrence, un bateau sur roues qui consomme trop d'essence. La réussite des Japonais a mis en relief cette gaffe monumentale, que répètent inlassablement d'ailleurs des entreprises autrefois novatrices, mais qui à présent végètent dans une torpeur désinvolte. Voilà ce qui arrive quand on laisse tomber le R des R & D.

LES CONSEILS DE MAMAN : TROISIÈME PARTIE

« DANS LA VIE, RIEN N'EST STATIONNAIRE ; OU BIEN ON VA DE L'AVANT, OU BIEN ON RECULE. » Il est vrai que maman ne pensait pas aux dépenses en immobilisations, qui sont pourtant un élément clé dont tiennent compte les économistes quand ils ont à décider si une entreprise, une industrie, voire l'économie d'un pays entier, va de l'avant ou si elle recule. Nous avons vu toutefois que les dépenses en immobilisations peuvent tout aussi bien comprendre l'asphaltage du stationnement des employés ou la rénovation de la cafétéria. Sans doute accueilli avec plaisir par les employés, ce genre de dépense n'est guère propre à améliorer les perspectives d'avenir de l'entreprise. (Je connais une entreprise canadienne qui a pavé le stationnement deux fois en un an, afin d'éviter le rapatriement de ses revenus par sa société mère étrangère. Il n'est jamais venu à l'esprit de la direction qu'il aurait été plus à propos d'investir ces dollars dans de la nouvelle technologie.)

Mon **ratio dépense-technologie** mesure la proportion des dépenses totales effectivement consacrée à la technologie, et surtout à l'informatique (facile à repérer puisqu'il s'agit de micropuces et de terminaux d'ordinateur) et au matériel destiné à l'industrie des services, tel que le scanner au laser de la caisse du supermarché.

Quand on considère qu'aux États-Unis, un peu plus de 40 pour cent des dépenses totales en immobilisations est relié à la technologie, il est raisonnable qu'employés et investisseurs portent un intérêt extrême à la comparaison de leur entreprise avec la concurrence. À titre d'investisseur, on serait joyeusement impressionné d'apprendre que l'entreprise annonce pour l'année à venir des dépenses en immobilisations deux fois supérieures à celles de la concurrence. Mais la joie se transformerait vite en désespoir si l'investisseur voyait que ses dollars étaient affectés à une nouvelle ligne de montage qui serait l'exacte réplique de celle qui avait été installée dans les années 60, tandis que les concurrents consacrent un budget moindre à des procédés évolués de haute technologie.

Installer un système de courrier vocal qui remplace le standard désuet, ou investir dans des appareils à contrôle numérique qui affichent dans l'atelier des informations de production en nanosecondes, voilà qui ne garantit pas la réussite. Mais plus souvent qu'autrement, les entreprises qui jouissent d'un avantage technologique, jouissent également d'un avantage concurrentiel.

LES CONSEILS DE MAMAN : QUATRIÈME PARTIE

« NE PAS ÉCONOMISER DES SOUS POUR DÉPENSER DES LOUIS. » Le monde des affaires, dynamisé en grande partie par l'expansion des marchés financiers au-delà des limites étroites de chaque pays, adopte désormais une perspective mondiale. Qu'une entreprise ait fait le saut ou pas pour tâter des marchés étrangers, toutes doivent reconnaître le fait incontestable que l'argent ne tient plus compte des frontières politiques.

Le **ratio accès-crédit** (RAC) nous renseigne utilement sur les entreprises qui mettent tous leurs œufs dans le même panier. Elles économisent peut-être des sous, mais ne sont guère sages en ce qui concerne les dollars (ou les francs, ou les yens).

Imaginez la scène suivante : Alan Greenspan, président de la Federal Reserve Bank, qui détermine les taux d'intérêt aux États-Unis, se réveille un matin très mal luné. Il a dû comparaître une fois de trop devant un comité du Congrès, et s'il se fait critiquer encore une fois au sujet de ses politiques sur la masse monétaire, soit trop rigides soit trop relâchées, il va se jeter dans la rivière Potomac.

Greenspan téléphone à son homologue canadien, Gordon G. Thiessen, et apprend que celui-ci en a également ras le bol des hommes politiques et des groupes de pression. Supposons qu'ils décident ensemble de remettre leur démission et de monter une petite affaire de gîte du passant dans les Îles Caïmans.

Les dollars américain et canadien piqueraient tout de suite du nez et les taux d'intérêt décolleraient vers l'azur. Les entreprises soumises aux aléas de la monnaie et des politiques nationales seraient transies de peur et leurs grands argentiers iraient se faire admettre à une maison de repos au fin fond de la campagne. Mais les chefs des services financiers des compagnies futées n'auraient même pas à augmenter leur dose de valium. Ils se tiendraient peinards parce qu'ils sauraient que le financement de leur entreprise n'est pas lié au taux d'intérêt en vigueur dans le pays ni au cours du dollar.

Il est rare qu'une compagnie se fie à un seul fournisseur, alors pourquoi diable se fier à une seule source de capital ? Seules les entreprises très petites ou très faibles ne sont pas en mesure d'aller chercher des capitaux au-delà des frontières de leur pays.

Plus le ratio accès-crédit est élevé, plus l'entreprise profite de la diversification de ses sources de capitaux et plus elle se garantit contre des bouleversements nationaux imprévus. Même pour l'investisseur peu expérimenté, rien n'est plus facile que de constater le ratio accès-crédit d'une société ouverte ; il suffit de consulter les états financiers déjà publiés et de calculer le pourcentage de crédit et de prêts bancaires de source étrangère. Deux entreprises peuvent accuser le même endettement, mais celle qui affiche un ratio accès-crédit moins élevé en sera toujours d'autant plus vulnérable aux caprices ou aux tendances suicidaires d'une seule banque centrale ou d'un seul gouvernement.

Un deuxième moyen de contrôle qui s'avère extrêmement utile est le **ratio électricité-crédit** (REC). Je ne sais plus ce qui m'est passé par la tête quand j'ai inventé cette expression, toujours est-il – et on peut me croire – que la chose est beaucoup moins compliquée qu'il n'y paraît.

Le ratio électricité-crédit décèle la vulnérabilité d'une entreprise aux fluctuations des taux d'intérêt. Il s'agit de calculer la proportion des emprunts à taux variable en pourcentage de la dette totale. Les sociétés risquent de se faire violemment secouer par la fluctuation des taux d'intérêt. Telle entreprise, ayant misé sur une hausse des taux, pourrait en ce moment même être inquiétée par les faibles taux d'intérêt et être tributaire par conséquent d'un financement très cher. Le concurrent qui aurait mieux deviné se tiendrait peinard en se demandant pourquoi tant de bruit.

Voici encore un petit atout dans ma trousse d'outils financiers. C'est le **ratio initié-bailleur de fonds**, ou si l'on veut, « l'indice d'engagement ». Je trouve très utile de savoir quel pourcentage du financement d'une entreprise est assuré par des gens de la maison – cadres supérieurs et conseil d'administration – en comparaison de l'apport des gens de l'extérieur. Plus les initiés en sont pour leur poche, plus l'entreprise sera orientée vers la réussite. Il faut parfois prendre des décisions fort difficiles dont l'incidence peut assurer la réussite ou l'échec de l'entreprise. À ces moments-là, il m'est d'un grand réconfort de savoir que les dirigeants de l'entreprise sont plus tributaires de leurs décisions que moi.

LES CONSEILS DE MAMAN : CINQUIÈME PARTIE

« CHERCHEZ ET VOUS TROUVEREZ. » Il n'y a pas de ratio unique capable de mesurer les profondes transformations qui surviennent tous les jours. Je n'aurais pas demandé mieux que de trouver le Saint Graal sous la forme d'un seul ratio d'une clarté éblouissante qui m'eût permis de déceler tous les secrets de l'avenir de telle ou telle entreprise. Autant vouloir découvrir le dénominateur commun de l'univers.

Il reste pourtant mille moyens de se faire une idée assez juste d'une entreprise et de ses possibilités dans la nouvelle économie. Entre autres, le **ratio pénétration mondiale** qui mesure la part de l'ensemble du marché mondial.

Supposons une brasserie très prospère qui se vante de sa part de 95 pour cent du marché de la bière dans le nord du Nouveau-Brunswick. Voilà qui est impressionnant, on dirait une entreprise qui tient la consommation locale dans une poigne de fer. Mais si sa part de l'ensemble du marché de l'Amérique du Nord ne représente que 0,0000000003 pour cent ? Cette brasserie-là n'est qu'un gros poisson dans une très petite mare. Qu'un géant de la bière vienne un beau jour avec grande publicité inonder de sa broue le Nouveau-Brunswick, et il y a des chances pour que le gros poisson dans la petite mare soit happé par le requin avant que la mousse ait eu le temps de s'éventer.

À titre d'employé, d'investisseur, de banquier, d'assureur, on doit savoir exactement de quoi il retourne quand une entreprise se vante de sa taille « vraiment importante ». S'agit-il du plus grand fabricant d'aspirateurs dans le sud du Texas, l'ensemble de l'État, le continent ou le monde entier ? Quel est, en d'autres mots, son **ratio pénétration mondiale** (c'est-à-dire les ventes de l'entreprise exprimées en pourcentage de l'ensemble du produit intérieur brut pour son industrie). Si un cadre ne sait pas de quoi je parle quand j'évoque la pénétration globale, je sais que l'entreprise est confrontée à de graves problèmes.

En matière de « mondialisation », beaucoup d'entreprises ne font que se payer de mots, car peu nombreuses sont celles qui mesurent effectivement leur part du marché mondial pour déterminer si celle-ci est à la hausse ou non. C'est bien beau de dire qu'on fait des affaires sensationnelles sur le plan mondial et qu'on vend dans une centaine de pays. Mais si l'entreprise ne fait que fournir un quart de un pour cent de tout le marché mondial de son produit ? Si les ventes augmentent, mais que par contre la pénétration globale est à la baisse, il serait peut-être temps de s'asseoir avec le vice-président aux ventes à l'étranger pour discuter de ce qui se passe. Il est bien possible qu'une foule de nouveaux concurrents se soient mis de la partie, et le fait de ne pas les connaître ne signifie aucunement qu'eux ne vous connaissent pas.

Le **ratio exportations**, que j'appelle souvent le ratio exportations-blocs commerciaux, indique pour une entreprise donnée le pourcentage des ventes effectuées en dehors de son bloc habituel. Dans un monde qui se départage très visiblement en blocs différents – Libre-échange nord-américain, Communauté économique européenne, Asie-Pacifique – il est d'autant plus important de repérer la performance d'une entreprise à l'extérieur de son marché habituel.

Supposons deux entreprises canadiennes de la même industrie. Toutes deux s'empressent de vous dire en termes enthousiastes qu'elles sont de vraies joueuses internationales parce que 57 pour cent de leurs ventes se font à l'étranger. Ce qui les distingue entre elles – et le ratio exportations ferait ressortir cette différence – c'est que la première entreprise destine les 57 pour cent uniquement au marché nord-américain. La belle affaire ! Alors les cent watts qui dirigent l'entreprise ont découvert Buffalo ? Bravo ! Mais il faut reconnaître que le concurrent ayant réussi à vendre une part importante de sa production aux Japonais, aux Allemands, aux Malaysiens est autrement plus performant.

Avouons-le, les ventes réalisées chez nous dans un marché de velours, ou auprès des voisins, sont loin de représenter autant de valeur et de savoir-faire que celles qui se font dans les blocs étrangers.

LES CONSEILS DE MAMAN : SIXIÈME PARTIE

« ON N'EST JAMAIS UN TOUT PETIT PEU ENCEINTE. » Le dernier, mais non le moindre, de mes ratios préférés est le **ratio revenu-action avec droit de vote** (RADV). Autrefois, les sociétés ouvertes ont imaginé de diviser leurs actionnaires en deux groupes, avec vote et sans vote. Ce qui fait donc que les actionnaires ne sont pas tous sur un pied d'égalité, certains ayant plus que leur mot à dire, alors que d'autres demeurent sans influence aucune. Si, en tant qu'actionnaire sans droit de vote, on estime que la direction de la société s'est sérieusement fourvoyée, il n'y a pas grand-chose à faire à moins de vendre ses actions. Et si d'autres investisseurs sont également d'avis que les dirigeants sont ineptes, on risque de ne pas trouver preneur.

Quel contrôle les actionnaires peuvent-ils exercer sur les revenus de l'entreprise ? Voilà la question à laquelle le ratio revenu-action avec droit de vote apporte une réponse. Si l'entreprise dégage un chiffre d'affaires annuel de 100 M $, le ratio revenu-action avec droit de vote en indique avec précision la proportion qui devrait revenir aux actionnaires ayant droit de vote dans ses affaires. Dans un monde où les revenus de la société sont souvent synonymes de pouvoir au sein de la société, il importe de savoir combien de ces revenus sont aux mains d'une direction inamovible, donc soustraits à celles de l'investisseur ordinaire. Comme on n'est jamais un tout petit peu enceinte, ou bien on exerce un contrôle à titre d'actionnaire, ou bien on n'en exerce point.

Armé de ces moyens pour mesurer la nouvelle économie, on trouvera que le jeu redevient intelligible. Les vedettes se comportent selon les attentes, et les joueurs dépassés ne se font que trop remarquer. Ces nouveaux ratios ne garantissent pas la transformation en or de vos investissements, ni la sécurité de votre emploi, mais ils pourraient vous éviter de miser votre argent, votre carrière et le bien-être de votre famille sur la mauvaise équipe jouant dans la mauvaise ligue.

Les critères actuels de la réussite vont certainement changer avec l'avènement d'un nouveau cercle de croissance. Le défi de taille est de trouver le moyen de pressentir l'évolution ultérieure de l'économie. Dans ce Quatrième Cercle, l'économie sera entraînée par de nouvelles motrices, et ceux qui sauront en prendre la mesure vont avoir une longueur d'avance sur tous les autres.

CHAPITRE 10

Le quatrième cercle

Il est naturel de chercher la stabilité. Le changement dérange, nous tape sur les nerfs. Et il ne va jamais finir. Tôt ou tard, aussi inéluctablement que la nuit succède au jour, on va se réveiller un beau matin pour constater que la nouvelle économie se sera transformée en ancienne économie.

Si inconcevable que cela puisse paraître aujourd'hui, l'attirail reluisant de l'ère technologique et informatique aura la même allure défraîchie et tristement désuète que, de nos jours, les aciéries et les filatures. Dans un avenir d'ailleurs pas très lointain, les fabricants d'ordinateurs et de matériel de télécommunications seront traités par les historiens de « vaillants vétérans » qui autrefois ont contribué à propulser l'économie du tournant du vingtième siècle vers une prospérité inouïe. On s'arrêtera, étonné, devant de vieilles reliques telles que le clavier d'ordinateur, les manuels de logiciel, les téléphones cellulaires. On va contempler dans les musées ce qui nous semble à présent la fine pointe de la technologie médicale.

On sera interdit par l'audace des médecins qui se seraient servi de matériel aussi obsolète que le CT scanner ou la sonde ultrasonique pour diagnostiquer soit la tumeur cérébrale soit le calcul rénal.

Les pousses de ce que j'appelle le « quatrième cercle » de croissance économique commencent déjà à pointer. Encore fragiles, certaines pousses vont périr dans le climat hostile des transformations dramatiques. D'autres vont survivre, mais rabougries et porteuses de fruits amers. D'autres encore, et nombreuses, vont devenir les arbres géants de l'avenir, aussi puissants que l'ordinateur du cercle technologique actuel, ou que l'automobile de l'ère précédente de la fabrication en série.

LES GENS DU FUTUR

Il m'arrive souvent de parler de l'avenir aux jeunes. C'est l'avenir seul qui motive leurs questions en général. Le présent offre peu d'intérêt. L'histoire et ses leçons ne comptent pratiquement pas. Les plus alertes et les plus audacieux d'entre eux cherchent presque toujours une carte routière pour l'avenir, une feuille de route détaillée qui indique la voie rapide.

Il y a vingt ou trente ans, ces ados hyperfutés se dirigeaient tout droit vers l'informatique ou vers d'autres industries axées sur la technologie. Peu leur importait que celles-ci fussent petites et d'envergure relativement nulle dans la configuration des activités économiques, qu'elles fussent innocentes de la stature comme de la sécurité réconfortante des sociétés bien connues dont la plupart de leurs pairs voudraient un jour faire graver le nom sur une carte d'affaires.

Il est normal que la plupart d'entre nous optent pour être dans la mouvance d'une entreprise bien établie, mais ce n'est pas là, d'habitude, que se trouvent l'action et l'exaltation à l'aube d'une nouvelle ère économique. Pour les explorateurs et les preneurs de risque parmi nous, un salaire stable et un plantureux régime de retraite offrent peu d'attraits en comparaison de la volupté de l'exploit et de la joie capiteuse qui accompagne l'escalade vers la réussite économique.

Je garde un souvenir très vif d'une conversation avec deux adolescents. Ces jeunes gens, à la veille de commencer leurs études à l'université, m'avaient téléphoné à l'improviste pour en savoir plus long sur mes recherches. Ils se présentèrent dans mon bureau, et ce qui me frappa d'abord c'est qu'ils étaient habillés comme des gens d'affaires. Je ne pouvais m'empêcher de me demander si, selon les principes de la psychologie populaire, ils avaient des parents aux cheveux longs et en blue-jeans exploitant quelque part une ferme de culture organique. Mais en l'occurrence, tel ne semblait pas être le cas.

Leurs parents les avaient envoyés de l'Afrique au Canada, alors qu'ils étaient encore au secondaire. L'intention était de leur faire faire des études dans un pays d'Occident pour qu'ils acquièrent les compétences nécessaires à leur réussite partout dans le monde. Tous deux avaient l'air parfaitement à l'aise dans une salle de conseil d'administration, et tous deux étaient extrêmement focalisés sur l'avenir auquel leurs parents les avaient destinés : une carrière vraiment prometteuse dans un domaine où ils pourraient laisser leur marque.

Ces étudiants étaient donc venus me demander de leur fournir une feuille de route comportant des repères qui leur permettent de s'assurer qu'ils étaient sur la bonne voie. Je commençai tout de suite à leur parler de la nouvelle économie, des quatre motrices qui en fournissent la dynamique, du pourquoi de la transformation survenant dans le monde actuel et de l'orientation de celle-ci. C'était une conférence que j'avais maintes fois donnée, mais devant des auditeurs plus âgés.

Ce que je dis sur la nouvelle économie constitue normalement une révélation ahurissante pour les auditeurs de la génération des parents du jeune couple devant moi. Ils ont grandi avec des certitudes qui, pour la plupart, n'en sont plus à l'heure actuelle. Mais pour ces collégiens qui m'écoutaient, mes propos les intéressaient sans les émouvoir, car ils ne répondaient pas, en fait, au but de leur visite. Pour eux, que le monde eût changé de façon dramatique, que l'informatique et l'électronique soient la grande source d'emploi et encore loin de tarir, alors que d'autres secteurs se trouvaient dans l'impasse qui mène à l'oubli, voilà, pour eux, qui était l'évidence même. Après tout, la plupart de leurs camarades se dirigeaient vers ces industries vivantes. Ils ne connaissaient pas un seul étudiant intelligent qui s'empressait de se caser dans une des grandes sociétés de produits forestiers ou d'automobiles.

Après m'avoir poliment écoutée pendant plusieurs minutes, l'un des étudiants m'arrêta net, avec une question doucement posée mais directe à ne pas s'y tromper, le genre de question que seuls peuvent se permettre soit les très jeunes ou les très vieux. Ce qu'ils voulaient savoir, ces frère et soeur, c'est ce qui les attendait plus loin sur leur chemin, quelles étaient les pousses de l'avenir, et où on allait les trouver.

« Nous voulons aller quelque part où il soit possible d'apprendre les ficelles, d'acquérir une expérience qui soit significative », me dit l'un des jeunes visiteurs. « Nous voulons débuter dans une industrie avec laquelle on puisse grandir, où notre apport comptera. Le salaire initial n'est pas un facteur primordial. »

C'est la même attitude vigoureuse et indépendante qui avait poussé de jeunes talents à fonder les Apple, les Microsoft et les Hewlett-Packard, alors qu'il leur eût été tellement plus facile de se faire embaucher par l'une de ces grandes sociétés dont les jours de gloire ne sont plus, mais qui proposent une formidable panoplie d'avantages.

Les questions pénétrantes de ces jeunes m'amenèrent à leur décrire le « quatrième cercle », ou du moins ce que j'en savais. Et dès les premiers mots, ils écoutaient, subjugués, comme des enfants qui entendent une belle histoire pour la première fois. C'est alors qu'ils comprirent quelles perspectives, quelles possibilités offre aux intelligents et aux ambitieux le monde réel du vingt-et-unième siècle.

LE CERCLE I

Nous entrons dans une ère qui va être dominée par l'ingénierie sous toutes ses nombreuses formes modernes. Le futur va tourner autour d'une science-réalité qui, hier encore, n'était que science-fiction. Les nouveaux ingénieurs sont déjà en train de révolutionner l'agriculture et la médecine. Mais cette révolution pâlit devant celle qui se profile à l'horizon. La dynamique de l'économie mondiale n'aura plus pour combustible une abondance de micropuces peu chères, mais des gènes à gogo et tout aussi peu chers. Les ingénieurs en sont aujourd'hui là où les concepteurs d'ordinateur en étaient dans les années 40 : « Comme ça vous avez construit une machine capable de résoudre des équations complexes ? Et vous dites qu'elle tiendra dans une grande salle et qu'elle sera moins chère à faire fonctionner que l'économie du Pérou ? Ça alors ! »

Parmi les grandes motrices potentielles de croissance dans le quatrième cercle, signalons :

- l'ingénierie génétique et la biotechnologie
- l'intelligence artificielle
- l'espace
- de nouveaux matériaux, y compris des céramiques composites, et des alliages de métal ou de plastique avec des fibres.

L'IMPACT DES NOUVELLES MOTRICES

Il est évident que les nouvelles technologies promettent de révolutionner un grand nombre d'industries contemporaines et d'insuffler une nouvelle vigueur à certaines d'entre elles dont l'importance économique est à présent en déclin rapide. Voici quelques exemples des transformations que l'avenir va faire subir à toute une gamme d'industries et d'applications actuelles.

- Les soins de santé. Ce secteur a déjà pris sa place comme force dynamique du troisième cercle mais, en regard des changements opérés par les merveilles de la biotechnologie et de l'ingénierie génétique, on n'a rien vu encore. Le marché propose aujourd'hui une gamme de dépistages diagnostiques qui aurait laissé pantoise l'imagination la plus fertile voici vingt ans. Il ne se passe presque pas un jour sans qu'un média ne fasse un long reportage sur telle ou telle percée majeure de l'ingénierie génétique. À telles enseignes que le lecteur en devient blasé.

Mais cette belle litanie de découvertes ne devrait pas finir de sitôt, et avec celles qui s'en viennent il y aura de quoi étonner le plus blasé d'entre nous. Comme aux premiers temps de l'ordinateur et des voyages dans l'espace, les percées biotechnologiques vont bouleverser les esprits. À l'ère des soins médicaux va succéder celle où l'accent sera mis sur la prévention. Il s'ensuit que les institutions médicales, les programmes d'assurances, les politiques de l'État et les structures destinées à les administrer vont se transformer radicalement.

- Alimentation et agriculture. Il y a maintenant des tomates qui mûrissent sur pied sans s'amollir ou pourrir, des récoltes de grains qui résistent au plus meurtrier des microbes du blé. La première récolte réalisée grâce à l'ingénierie génétique vient de faire son apparition sur les marchés mondiaux. Mais ce n'est qu'un début. Des scientifiques ont isolé chez des poissons des gènes antigel qui promettent de révolutionner le marché des produits congelés, et on a découvert de nouvelles enzymes servant à fabriquer de la bière à calories minimales – ce qui prouve que les grands esprits scientifiques ne travaillent pas en vain !

Mis à part les bénéfices évidents qui reviendront aux inventeurs et producteurs heureux, la nouvelle ingénierie va rendre plus sécuritaires la culture et la consommation des aliments. Des conditions artificielles de culture, possibles dans l'espace, et les denrées créées par l'ingénierie génétique promettent d'alimenter le monde entier, utilisant beaucoup moins pour en produire beaucoup plus que jamais. Si on peut inventer des melons d'eau sans pépins, ou des assiettes et des gobelets comestibles afin de réduire les déchets, qu'est-ce qu'on ne pourrait pas faire dès lors qu'on s'est mis en tête de le faire ?

- Le commerce dans l'espace. On procède, dans l'espace, à des expériences qui seraient irréalisables sur terre. Plus de deux cents entreprises américaines se sont déjà associées à la NASA pour participer à la grande expansion du commerce dans l'espace. Les scientifiques mettent à l'essai la production de matériaux ultra-légers, de grands cristaux de protéine et de produits pharmaceutiques dans les conditions idéales que l'on trouve seulement au-delà de l'atmosphère terrestre.
- L'énergie. La science sera-t-elle capable de sauver la planète de nos destructions ? C'est un débat qui fait rage depuis des années. Eh bien, dans le quatrième cercle nous le saurons sans aucun doute, quand l'industrie dirigera sa puissance cérébrale collective vers la solution de problèmes en apparence insolubles. La supraconductivité – qui permet le transport de l'électricité sans autant de perte en cours de route – pourrait provoquer une révolution dans les domaines des transports et de l'énergie. La transmission de l'électricité le long de lignes de haute tension entraîne normalement une perte de 20 pour cent. Réduire cette perte à zéro ou peu s'en faut, ce serait réduire de façon très sensible les coûts énergétiques. Mais

même à défaut des céramiques supraconductrices nécessaires à la transmission, les entreprises énergétiques profitent déjà de nouveaux progrès biotechniques pour enrayer les retombées polluantes de leurs opérations. Déjà, le marché propose des enzymes qui enlèvent le souffre du mazout, ce qui donne un carburant plus propre.

- La biodégradation accélérée est un procédé utilisé depuis belle lurette dans le traitement des effluents. L'oxygène et les enzymes sont insufflés dans les eaux usées pour hâter la désintégration naturelle des solides. L'industrie minière utilise de même des micro-organismes pour extraire le métal du minerai par lessivage. Ce procédé, connu sous le nom de lixiviation biologique, est déjà utilisé dans le quart de la production de cuivre aux États-Unis et devient important dans l'extraction de l'or et l'uranium.
- Nouveaux matériaux. Des hyperadhésifs dérivés de la moule commencent à remplacer les vis et le métal dans les réparations chirurgicales faites sur le corps humain. Ces adhésifs (il ne s'agit pas de Krazy Glue !) promettent une guérison plus rapide et moins de problèmes lorsqu'on passe devant les détecteurs de métal des aéroports. La biocéramique permet une articulation artificielle de la hanche qui dure plus longtemps et ressemble davantage à celle que la nature nous a donnée.

Des fibres de l'ère spatiale, aptes à résister à la chaleur intense et conçues pour les écrans protecteurs de la navette spatiale, se trouvent déjà dans des articles de commerce. Il s'agit là d'un développement qui dépasse de loin le cas bien connu du Teflon qui, d'enduit de fusée, est devenu un élément courant des ustensiles de cuisine.

Une gamme de matériaux légers et incroyablement forts, parfois renforcés de métal, est actuellement à l'essai dans des machines-outils et d'autre matériel. Si on parvient à adapter ces matériaux en fibres composites aux pièces d'automobile et d'avion ou, disons, à des récipients pour l'entreposage des matières chimiques toxiques, il est permis d'envisager un marché valant des centaines de milliards de dollars ainsi que l'émergence d'une nouvelle industrie textile ayant peu de rapport à la confection de vêtements ou de literie.

Animés en partie par des raisons d'économie et de recyclage, des fabricants européens travaillent déjà à la mise au point de pare-chocs et d'autres composantes fabriqués à partir de fibres textiles. Pensez donc ! Dès le siècle prochain, les filatures pourraient se relocaliser près des mines et des usines d'automobile pour se rapprocher de leur clientèle !

- L'éducation. Il y a de fortes chances pour que, dans l'avenir, en se reportant à notre système d'éducation actuel, on se demande comment on a réussi à s'éduquer. Les livres de classe – sans parler du professeur qui fait la leçon – seront mis au rancart où ils rejoindront d'autres reliques charmantes du passé, telle que les plumes d'oie et les encriers. La réalité virtuelle – technologie informatique qui permet de visualiser, de sentir et d'entendre un événement comme si on y était – pourrait faire d'une leçon d'histoire médiévale une expérience bien au-delà de ce que pourrait évoquer la plus habile combinaison d'illustrations et de dessins.

L'intelligence artificielle et les systèmes de « *logique floue* », déjà utilisés à titre expérimental dans les industries des assurances, de la banque et de la défense, vont se retrouver en milieu pédagogique. La *logique floue* ne s'applique pas en l'occurrence au fonctionnement de notre esprit le lundi matin. La *logique floue* est une branche de l'intelligence artificielle qui permet à l'ordinateur et à l'utilisateur d'évaluer un éventail de résultats éventuels autres que ceux qui relèvent uniquement du simple oui ou non, vrai ou faux des logiciels d'aujourd'hui.

En utilisant la *logique floue* de l'ordinateur (plutôt que la leur), les étudiants pourraient travailler à leur ordinateur scolaire sur des problèmes en science, en droit, ou en économie domestique. Grâce à la *logique floue*, ils pourraient se faire une opinion experte sur, disons, la façon dont le Canada serait gouverné advenant l'abolition du Code criminel, ou sur l'évolution éventuelle des valeurs sociales aux États-Unis, n'eût été la guerre du Vietnam.

Les étudiants ne seraient plus les prisonniers intellectuels de leurs professeurs, dont les connaissances en certaines disciplines peuvent être limitées. Au contraire, étudiants et professeurs auraient un accès immédiat aux réflexions des plus éminents esprits dans une discipline donnée, ce qui les aiderait à tirer leurs propres conclusions et à former leurs propres opinions. L'éducation ne serait plus une affaire, en partie mécanique, de mémorisation et de répétition. La *logique floue* et la réalité virtuelle vont ouvrir des perspectives dont n'aurait jamais eu idée le plus progressiste des éducateurs. Elles en viendront à dominer la vie de nos petits-enfants, remplaçant la télévision et les jeux vidéo comme éléments les plus puissants de leur jeune existence, et elles auront des résultats infiniment plus satisfaisants. L'école ne sera plus jamais cette coupure ennuyante entre les dessins animés du matin et les reprises de fin d'après-midi.

Mes deux jeunes visiteurs, ceux qui me poussèrent à cette description de ce que je pense être implicite dans le futur, s'intéressaient moins aux transformations éventuelles du système d'éducation qu'à ce qui les attendait loin des bancs de l'école, dans les domaines du droit, de la gestion, du commerce et de la finance ainsi qu'au gouvernement. À cet égard, le quatrième cercle ressemblera pas mal à ceux qui l'ont précédé, et sera grandement redevable aux gens qui en ce moment préparent discrètement les temps à venir.

Tous les cercles économiques présentent des caractéristiques particulières, et il en sera de même du prochain grand cercle.

- À chaque ère ses virtuoses, souvent et tellement en avance sur leur époque que leur travail n'est reconnu que bien des années après.
- À chaque ère la technologie qui la définit et qui soutient sa vaste croissance. Aujourd'hui, c'est l'informatique, mais la clé technologique du quatrième cercle se forge déjà dans les officines de la biologie. Voilà qui simplifie le choix des matières pour l'étudiant soucieux de se mettre sur la voie rapide.

Alors que la familiarité avec l'ordinateur est cruciale à qui veut faire son chemin dans le monde électronique d'aujourd'hui, la compréhension des procédés biologiques le sera autant pour l'avancement dans des industries aussi disparates en apparence que l'intelligence artificielle, que l'extraction minière, que le conditionnement des denrées. Voilà qui ne signifie pas pour autant que nos écoles doivent former des biologistes en grand nombre, pas plus que tous les étudiants de nos jours ne doivent se faire programmeurs. Mais tous devront être au courant des éléments de base du prochain cercle.

- À chaque ère les *pratiques de gestion* qui lui sont propres. Les défis posés par la gestion dans l'économie actuelle ne sont rien à côté de ceux qui nous attendent dans le quatrième cercle, où la nature même du travail va changer. On dit que de plus en plus d'employés vont travailler en dehors du siège principal, chez eux ou dans un lieu très éloigné. Mais qu'en sera-t-il lorsqu'il s'agira d'assurer la gestion d'une équipe de trois personnes, tous travaillant chez eux, l'un à Detroit, l'autre à New Delhi, et l'autre encore dans un laboratoire de recherche dans l'espace profond ?

- À chaque ère ses *perdants* et ses *gagnants*. Il n'est pas trop tôt pour prédire que parmi les perdants de demain vont se trouver beaucoup des gagnants d'aujourd'hui. Si une entreprise performante se met à croire avoir réponse à tout – ou que son arbre va pousser jusqu'au ciel – alors elle est déjà engagée sur la mauvaise voie. Si une Microsoft, par exemple, se cantonne dans le logiciel et manque le passage vers l'exploitation commerciale à grande échelle de l'intelligence artificielle et de la *logique floue*, alors son étoile va immanquablement pâlir.

Le revers de la médaille, c'est que des entreprises à présent en difficulté peuvent profiter de la prochaine vague de croissance si elles ont la finesse de cibler les produits dont la demande sera immense au quatrième cercle. Une compagnie minière en mal de renouveau pourrait redorer son blason en accaparant le marché d'une enzyme particulière, ou d'un procédé encore à découvrir. Une IBM pourrait reprendre sa place à la tête du peloton technologique grâce à des innovations audacieuses dans le domaine de l'intelligence artificielle. Ce qu'il faut dans tout cela, c'est de la vision.

- À chaque ère ses *obstacles* qui doivent être surmontés pour que le prochain cercle atteigne le maximum de son potentiel. Pour faire le saut dans le prochain cercle, il nous faudra à nouveau dépasser les limites actuelles : l'absence d'un gouvernement mondial ; la gamme limitée – et limitative – des matériaux existants (pour ce qui est de la force, la légèreté et la résistance à la chaleur) ; l'incapacité de notre système de santé à protéger la personne (actif-clé du troisième comme du quatrième cercle) en prévenant la maladie au lieu de la traiter seulement.

Il se forme aujourd'hui ce qui n'est rien de moins qu'une économie mondiale de l'information mais qui, à l'échelle mondiale, manque des structures juridiques, politiques et sociales nécessaires à son fonctionnement efficace. Les différents États sont, de par leur nature, paternalistes et ardemment protectionnistes. Ils font tous de beaux discours sur le libre-échange des biens et services, mais le coeur n'y est pas. Du moins, pas encore.

L'une des principales limites du cercle de la technologie est le manque de protection internationale des biens intellectuels (copyright, brevets, marques de commerce). Il semble que des contrevenants professionnels, comme Taïwan et la Corée, sont enfin prêts à reconnaître des règles mondiales destinées à protéger tous les créateurs, qu'il s'agisse de jeux informatiques ou d'instrumentation perfectionnée. Mais il reste tant à faire pour éviter la collision désastreuse entre des technologies transnationales et les barrières nationales ou régionales dressées par des gouvernements plus soucieux d'atteindre des buts politiques que de favoriser le développement du quatrième cercle.

– À chaque ère ses *chefs de file économiques et financiers*. Nous avons vu comment la Grande-Bretagne s'est faite relayer par les États-Unis dans le cercle de la fabrication en série. Dans le cercle de la technologie, c'est le Japon et les États-Unis, liés depuis des années dans une interdépendance inquiète, qui sont les maîtres d'oeuvre. Qui jouera ce rôle dans le cercle de l'ingénierie ? Il est encore trop tôt pour le savoir, mais j'ai comme une idée que les historiens futurs se reporteront à cette époque pour y identifier comme avant-coureur d'une vaste confédération financière et économique le Groupe des Sept pays les plus industrialisés.

Une fois tous les ans, le G-7 fait la Une lorsque les chefs des sept pays, États-Unis, Japon, Allemagne, Grande-Bretagne, France, Canada, Italie, posent pour leur portrait collectif devant plusieurs milliers de journalistes qui doivent se démener dans une situation franchement chiche de nouvelles. Mais loin des feux de la rampe, les ministres des plus puissantes économies du monde ont brillamment orchestré la transition du Cercle F vers le Cercle I sans précipiter une crise mondiale. Seule l'action rapide du G-7 empêcha le krach boursier de 1987 de provoquer un effondrement mondial des finances et de l'économie.

En créant un cadre de gestion financière et économique, le G-7 a posé les assises des nouvelles structures nécessaires au fonctionnement du quatrième cercle. Toutefois, les dynamos industrielles sont loin d'être unanimes quant à la manière dont l'univers économique devrait évoluer. Et si cette confédération n'apporte pas la solution voulue, il va falloir la chercher ailleurs.

- On dirait que chaque ère voit s'*accroître la prospérité* pour englober un public plus nombreux. Dans le Cercle M, la richesse s'infiltrait dans la vie des citoyens, tandis le Cercle F voyait s'amorcer l'essor des pays nouvellement industrialisés de l'Asie. Le Cercle T s'est élargi pour englober des pays pauvres comme l'Inde, le Brésil et le Mexique. Et le prochain cercle pourrait prendre une expansion formidable pour comprendre les pays en voie de développement de l'Afrique et de l'Amérique latine.
- À chaque ère sa *raison d'être*. Le Cercle F était dynamisé de toute évidence par la consommation personnelle, et il n'est pas surprenant que le consommateur soit devenu l'alpha et l'oméga de l'économie. La notion du consommateur-roi touchait à toutes les facettes de l'analyse économique et la façon de mesurer la croissance économique s'en ressentait d'autant. La raison d'être des sociétés était de fournir des biens et services à vous, à moi et à nos enfants.

Il se peut bien que, dans les temps futurs, notre époque soit perçue comme un caprice de l'Histoire. La croissance du Cercle M fut alimentée par le commerce –

et pas du tout par le consommateur dont on ignorait jusqu'au nom – et, dans le Cercle T, le consommateur est un personnage inconnu de la plupart des industries à haute croissance. Le quatrième cercle reproduira ce schéma historique où le consommateur occupera une place plus humble, car il ne comptera que pour une partie minime des ventes des grandes entreprises en croissance. Il va de soi que bien des caractéristiques du quatrième cercle ne se manifesteront avec netteté que lorsque ce dernier aura eu la chance d'atteindre sa maturité.

Voilà donc la topographie future de l'économie, telle que je l'ai décrite à ces deux adolescents. Elle évoque un monde regorgeant d'occasions en or pour des gens ambitieux, intelligents, énergiques et fonceurs, et munis des moyens de mettre en oeuvre ces talents. Les prophètes de malheur qui continuent de prédire la fin du monde tel que nous l'avons connu, et qui se réjouissent des temps difficiles où se débattent tant d'industries et les travailleurs qu'elles emploient (ou employaient), ces prophètes n'ont pas encore compris que nous sommes en pleine révolution économique, la plus grande depuis le développement des économies industrielles modernes au cours du siècle qui s'achève. Ces pessimistes veulent répandre la peur et l'ombre là où devraient régner l'espoir et la lumière.

Annexe

Ratios de capacité intellectuelle aux États-Unis en 1991

	Classement E = Élevé M = Moyen B = Bas	Ratio de capacité intellectuelle
AGRICULTURE	B	6,2
Production agricole, cultures	B	1,6
Production agricole, élevage	B	0,7
Services agricoles (sauf horticoles)	M	28,5
Services horticoles	B	13,0
EXTRACTION MINIÈRE	M	29,6
Mines de métal	M	23,8
Mines de charbon	B	12,8
Pétrole brut et gaz naturel	M	38,9
Mines non métalliques et carrières (sauf combustible)	B	16,7
INDUSTRIE FORESTIÈRE ET PÊCHE	M	23,6
Foresterie	M	32,9
Pêche	B	14,1
CONSTRUCTION	B	16,5
FABRICATION	M	24,7
Bois d'oeuvre et produits forestiers (sauf meubles)	B	11,2
Abattage et tronçonnage	B	7,0
Scieries, ateliers de rabotage et de bois ouvré	B	11,5
Construction de bois et de maisons mobiles	B	15,0
Produits forestiers divers	B	12,2
Meubles et accessoires	B	10,8
Produits en pierre, argile, verre et béton	B	17,7

	Classement E = Élevé M = Moyen B = Bas	Ratio de capacité intellectuelle
Verre et articles en verre	B	16,5
Produits en ciment, béton, gypse et plâtre	B	18,9
Matériaux de construction en argile, produits en poterie, etc.	B	13,3
Produits non métalliques divers et produits en pierre	M	20,8
Transformation des métaux	B	18,0
Première transformation des métaux	B	17,7
Hauts fourneaux, acierie, aminerie, affinage	B	16,3
Fonderies de fer et de métal	B	13,8
Première transformation de l'aluminium	M	21,3
Première transformation d'autres métaux	M	20,1
Fabrication de produits en métal	B	18,2
Coutellerie, outillage manuel et quincaillerie	B	16,8
Éléments de charpente métallique	M	20,0
Visserie mécanique	B	12,5
Emboutissage et forgeage des métaux	B	13,5
Artillerie	M	24,4
Fabrication de produits métalliques divers	B	17,4
Machinerie (sauf électrique)	M	33,2
Moteurs et turbines	M	26,1
Machinerie et matériel agricoles	M	25,7
Machines : construction et manutention	M	24,7
Ferronnerie	M	20,1
Bureau et comptabilité	E	45,1
Équipement informatique	E	60,6
Machinerie électrique, matériel et fournitures	M	34,4
Appareils ménagers	B	17,6
Radio, télévision et communication	E	45,2
Matériel de transport	M	30,2

	Classement E = Élevé M = Moyen B = Bas	Ratio de capacité intellectuelle
Moteurs et équipement d'automobiles	B	19,1
Aéronefs et pièces	M	37,4
Construction et réparation de navires et d'embarcation	B	16,9
Matériel ferroviaire et locomotives	M	21,2
Engins téléguidés, véhicules et pièces pour l'espace	E	60,8
Bicyclettes et matériel de transport divers	M	22,6
Matériel professionnel, photographie et montres	M	34,8
Instruments scientifiques et de contrôle	E	41,3
Fournitures optiques et médicales	M	30,1
Matériel et fournitures de photographie	M	35,7
Montres, horloges et appareils entraînés par un mouvement d'horlogerie	M	27,3
Jouets, jeux et articles de sport	M	21,9
Aliments et produits connexes	B	14,0
Viandes	B	7,8
Produits laitiers	B	15,3
Fruits et légumes en conserve	B	13,2
Meunerie	M	21,9
Boulangerie	B	10,8
Pâtisserie	B	13,3
Industrie des boissons	M	22,4
Fabricants de tabac	M	25,9
Produits de filature	B	12,1
Bonneterie	B	13,6
Teinture et finissage (sauf laines et tricots)	B	14,7
Revêtements de plancher (sauf revêtements rigides)	B	11,9
Filature et tissage	B	11,2
Vêtements et accessoires	B	10,6

	Classement E = Élevé M = Moyen B = Bas	Ratio de capacité intellectuelle
Vêtements et accessoires (sauf tricots)	B	10,2
Produits textiles divers	B	13,0
Papier et produits connexes	B	18,3
Usine de pâtes, papier et carton	B	18,3
Produits de pâtes et papier divers	B	19,4
Boîtes et contenants de carton	B	10,4
Imprimerie, édition et produits connexes	M	30,7
Édition et imprimerie de journaux	M	36,4
Imprimerie et édition (sauf journaux)	M	28,6
Produits chimiques et connexes	M	37,7
Plastique, résines et produits synthétiques	M	24,4
Médicaments	E	45,8
Savons et produits de beauté	M	34,7
Peintures, vernis et produits connexes	M	29,6
Produits chimiques agricoles	M	29,4
Produits chimiques industriels et divers	M	39,7
Produits du pétrole et du charbon	M	35,3
Raffinage de pétrole	M	37,2
Produits du pétrole et du charbon divers	M	21,7
Caoutchouc et produits en matière plastique divers	B	17,4
Pneus et chambres à air	B	19,8
Autres produits de caoutchouc, chaussures en matière plastique, courroies et produits connexes	B	16,0
Produits en matière plastique divers	B	17,2
Cuir et produits en cuir	B	14,6
Tannage et apprêt	B	18,8
Chaussures (sauf en caoutchouc et en matière plastique)	B	12,2
Produits en cuir (sauf chaussures)	B	15,4

	Classement E = Élevé M = Moyen B = Bas	Ratio de capacité intellectuelle
TRANSPORT, COMMUNICATIONS et AUTRES SERVICES PUBLICS	M	21,3
Transport	B	14,0
Chemins de fer	B	15,4
Autobus et transport urbain	B	17,4
Taxis	B	3,7
Camionnage	B	9,0
Entreposage	B	17,5
Service postal des É.-U.	B	7,4
Transports par eau	M	24,7
Transports aériens	M	25,0
Pipe-lines (sauf gaz naturel)	M	21,1
Services auxiliaires au transport	M	24,6
Communications	M	38,3
Radiodiffusion et télévision	E	72,4
Téléphone	M	31,0
Télégraphe et services de communications divers	M	33,2
Services publics et sanitaires	M	27,3
Énergie électrique	M	30,0
Distribution de gaz et vapeur	M	22,2
Énergie électrique et gaz et autres combinaisons	M	29,1
Distribution d'eau et irrigation	M	28,4
Services sanitaires	M	21,7
COMMERCE DE GROS ET DE DÉTAIL	B	11,3
Commerce de gros	B	14,0
Biens de consommation durables	B	14,4
Moteurs d'automobiles et accessoires	B	11,0
Meubles et accessoires	B	14,1
Bois d'oeuvre et matériaux de construction	B	16,3
Articles de sport, jouets et jeux	B	14,0

	Classement E = Élevé M = Moyen B = Bas	Ratio de capacité intellectuelle
Métaux et minerais (sauf pétrole)	B	12,8
Produits électriques	B	19,1
Quincaillerie, plomberie et matériel de chauffage	B	11,0
Machinerie, matériel et fournitures	B	14,6
Déchets et matériaux de récupération	B	10,1
Biens de consommation non durables	B	13,6
Papier et produits papier	B	17,2
Médicaments, produits chimiques et connexes	B	17,4
Vêtements, tissus et mercerie	B	13,6
Épiceries et produits connexes	B	10,6
Produits agricoles bruts	B	19,0
Produits du pétrole	M	24,0
Boissons alcoolisées	B	11,5
Fournitures agricoles	B	11,5
Commerce de détail	B	10,6
Bois d'oeuvre et matériaux de construction	B	9,7
Quincailleries	B	5,2
Pépinières au détail et magasins pour le jardin	B	5,8
Marchands de maisons mobiles	B	7,7
Grands magasins	B	11,3
Magasins de variété	B	6,8
Magasins de marchandises diverses	B	7,8
Épiceries	B	2,9
Magasins de produits laitiers	B	1,8
Détaillants en boulangerie	B	1,3
Concessionnaires de véhicules automobiles	B	7,0
Magasins d'accessoires d'automobiles et ménagers	B	3,9

	Classement E = Élevé M = Moyen B = Bas	Ratio de capacité intellectuelle
Stations-service	B	2,5
Magasins de vêtements et d'accessoires (sauf chaussures)	B	5,4
Magasins de chaussures	B	7,1
Magasins de meubles et d'accessoires ménagers	B	8,8
Magasins d'appareils ménagers et électriques	B	11,6
Restaurants, bars, etc.	B	16,6
Pharmacies	M	28,0
Magasins de boissons alcoolisées	B	2,9
Magasins d'articles de sport, de jouets et de jeux	B	6,2
Librairies et papeteries	B	11,1
Bijouteries	B	8,5
Magasins de couture et de tissus	B	5,5
Maisons de vente par correspondance	B	14,2
Marchands de distributeurs automatiques	B	5,0
Marketing direct	B	3,6
Marchands de combustible et de glaçons	B	8,7
Fleuristes au détail	E	44,87
FINANCES, ASSURANCES ET IMMOBILIER	M	30,6
Banques	M	37,0
Caisses d'épargne et de crédit	M	34,2
Agence d'évaluation du crédit	E	43,8
Courtage en valeurs mobilières, en marchandises et sociétés de placement	M	31,2
Assurances	M	22,0
Immobilier (incluant études d'avocat de l'immobilier et d'assurances)	M	30,5
SERVICES	E	48,1
Services commerciaux et services de réparation	M	35,3

	Classement E = Élevé M = Moyen B = Bas	Ratio de capacité intellectuelle
Publicité	E	58,0
Entretien de bâtiments et d'habitations	B	11,6
Laboratoires de recherches commerciales, de développement et d'essai	E	76,3
Location de personnel	M	32,1
Gestion des affaires et consultation	E	74,4
Informatique	E	72,0
Services de détective et de protection	B	8,0
Services commerciaux divers	M	36,3
Services d'automobile (sauf réparation)	B	19,2
Ateliers de réparation d'automobiles	B	13,9
Ateliers de réparation d'appareils électriques	B	15,9
Services de réparation divers	B	14,3
Services personnels	B	16,5
Hôtels et motels	B	17,5
Pensions de famille (saufs hôtels et motels)	B	12,2
Services de blanchissage et de nettoyage à sec	B	17,0
Salons de coiffure pour dames	B	0,4
Salons de coiffure pour hommes	B	1,0
Services funéraires et crématoires	E	63,0
Cordonneries	B	7,7
Ateliers de couture	B	0,0
Services de divertissements et de loisirs	E	44,1
Théâtres et cinémas	E	66,5
Salles de quilles et de billards	M	29,2
Services de divertissements et de loisirs divers	M	34,3
Services professionnels et connexes	E	58,6
Hôpitaux	E	59,0
Services de santé (sauf hôpitaux)	E	45,5
Cabinets de médecin	E	55,2

	Classement E = Élevé M = Moyen B = Bas	Ratio de capacité intellectuelle
Cabinets de dentiste	E	48,8
Cabinets de chiropracteur	E	48,6
Cabinets d'optométriste	E	53,3
Soins infirmiers et personnels	M	28,4
Services de santé divers	E	53,3
Enseignement	E	64,4
Écoles primaires et secondaires	E	65,8
Collèges et universités	E	61.3
Écoles commerciales, de métier et centres de formation professionnelle	E	71,4
Bibliothèques	M	37,7
Services divers d'enseignement	E	82,9
Services sociaux	E	45,6
Formation et services de réhabilitation professionnelle	M	31,6
Services de garderie	E	46,9
Soins à domicile (sauf soins infirmiers)	M	36,6
Services sociaux divers	E	52,7
Autres services professionnels	E	67,2
Services juridiques	E	60,9
Musées, galeries d'art, zoos	E	45,7
Organismes religieux	E	61,7
Organismes professionnels	E	50,4
Services d'ingénieurs, d'architectes et d'arpenteurs	E	83,9
Services de comptabilité, de vérification et de tenue de livres	E	66,7
Recherches universitaires et scientifiques sans but lucratif	E	79,9
ADMINISTRATION PUBLIQUE	M	39,9
Services exécutifs et législatifs	E	55,8

	Classement E = Élevé M = Moyen B = Bas	Ratio de capacité intellectuelle
Administration générale	E	43,0
Justice, ordre public, sécurité	B	17,8
Finances publiques, impôts, politique monétaire	E	60,2
Administration des programmes de ressources humaines	E	57,8
Administration des programmes de qualité de l'environnement et d'habitation	E	54,7
Administration des programmes économiques	E	59,7
Sécurité nationale et affaires internationales	E	46,3

Processus P.O.M.
Production • optimisation • maintenance
Une analyse du rendement continu de l'équipement — **34,95 $**
Roger Lafleur — 180 pages, 1994

Un plan d'affaires gagnant (3e édition) — **27,95 $**
Paul Dell'Aniello — 208 pages, 1994

La certification des fournisseurs — **39,95 $**
Maass, Brown et Bossert — 244 pages, 1994

Les fonds mutuels — **14,95 $**
Nicole Lacombe et Linda Patterson — 142 pages, 1994

Maître de son temps — **24,95 $**
Marcel Côté — 176 pages, 1993

Jazz leadership — **24,95 $**
Max DePree — 244 pages, 1993

Top vendeur — **24,95 $**
Ibrahim Elfiky — 246 pages, 1993

Objectif qualité totale
Un processus d'amélioration continue — **34,95 $**
H. James Harrington — 326 pages, 1992

À la recherche de l'humain — **19,95 $**
Jean-Marc Chaput — 248 pages, 1992

Crédit et recouvrement au Québec
Manuel de référence pour les gestionnaires de crédit — **55,00 $**
Lilian Beaulieu — 360 pages, 1992

Vendre aux entreprises — **34,95 $**
Pierre Brouillette — 356 pages, 1992

Le guide des franchises du Québec — **34,95 $**
Institut National sur le franchisage — 396 pages, 1992

Comment réduire vos impôts (6e édition) Samson Bélair/Deloitte & Touche	**16,95 $** 248 pages, 1993
Comment acheter une entreprise Jean H. Gagnon	**24,95 $** 232 pages, 1991
Planification fiscale Samson Bélair/Deloitte & Touche	**19,95 $** 288 pages, 1991
Faites dire OUI à votre banquier Paul Dell'Aniello	**24,95 $** 250 pages, 1991
La bourse, investir avec succès Gérard Bérubé	**34,95 $** 420 pages, 1990
1001 trucs publicitaires (2e édition) Luc Dupont	**36,95 $** 292 pages, 1993
La créativité : une nouvelle façon d'entreprendre Claude Cossette	**24,95 $** 200 pages, 1990
Le marketing direct Paul Poulin	**34,95 $** 200 pages, 1989
Comment faire sa publicité soi-même (2e édition) Claude Cossette	**24,95 $** 184 pages, 1989
Les pièges du franchisage : comment les éviter Me Jean H. Gagnon	**24,95 $** 182 pages, 1989
Patrons et adjoints : les nouveaux associés André A. Lafrance et Daniel Girard	**24,95 $** 160 pages, 1989

Profession : entrepreneur **Avez-vous le profil de l'emploi?** Yvon Gasse et Aline D'Amours	**19,95 $** 140 pages, 1993

Entrepreneurship et développement local
Quand la population se prend en main — **24,95 $**
Paul Prévost — 200 pages, 1993

L'entreprise familiale (2e édition)
La relève, ça se prépare! — **24,95 $**
Yvon G. Perreault — 292 pages, 1993

Le crédit en entreprise
Pour une gestion efficace et dynamique — **19,95 $**
Pierre A. Douville — 140 pages, 1993

Entrepreneurship technologique
21 cas de PME à succès — **29,95 $**
Roger A. Blais et Jean-Marie Toulouse — 416 pages, 1992

Devenez entrepreneur
Pour un Québec plus entrepreneurial — **27,95 $**
Paul-A. Fortin — 360 pages, 1992

La passion du client
Viser l'excellence du service — **19,95 $**
Yvan Dubuc — 210 pages, 1993

Comment trouver son idée d'entreprise (2e édition)
Découvrez les bons filons — **19,95 $**
Sylvie Laferté — 160 pages, 1993

Correspondance d'affaires
Règles d'usage françaises et anglaises
et 85 lettres modèles — **24,95 $**
Brigitte Van Coillie-Tremblay, Micheline Bartlett — 268 pages, 1991
et Diane Forgues-Michaud

Autodiagnostic
L'outil de vérification de votre gestion — **16,95 $**
Pierre Levasseur, Corinne Bruley et Jean Picard — 146 pages, 1991

Relancer son entreprise
Changer sans tout casser — **24,95 $**
Brigitte Van Coillie-Tremblay et Marie-Jeanne Fragu — 162 pages, 1991

Les secrets de la croissance
4 défis pour l'entrepreneur — **19,95 $**
sous la direction de Marcel Lafrance — 272 pages, 1991

Montmagny, Qc
mars 1994